図説

日本の昔話

石井正己

河出書房新社

図説
日本の昔話 目次

contents

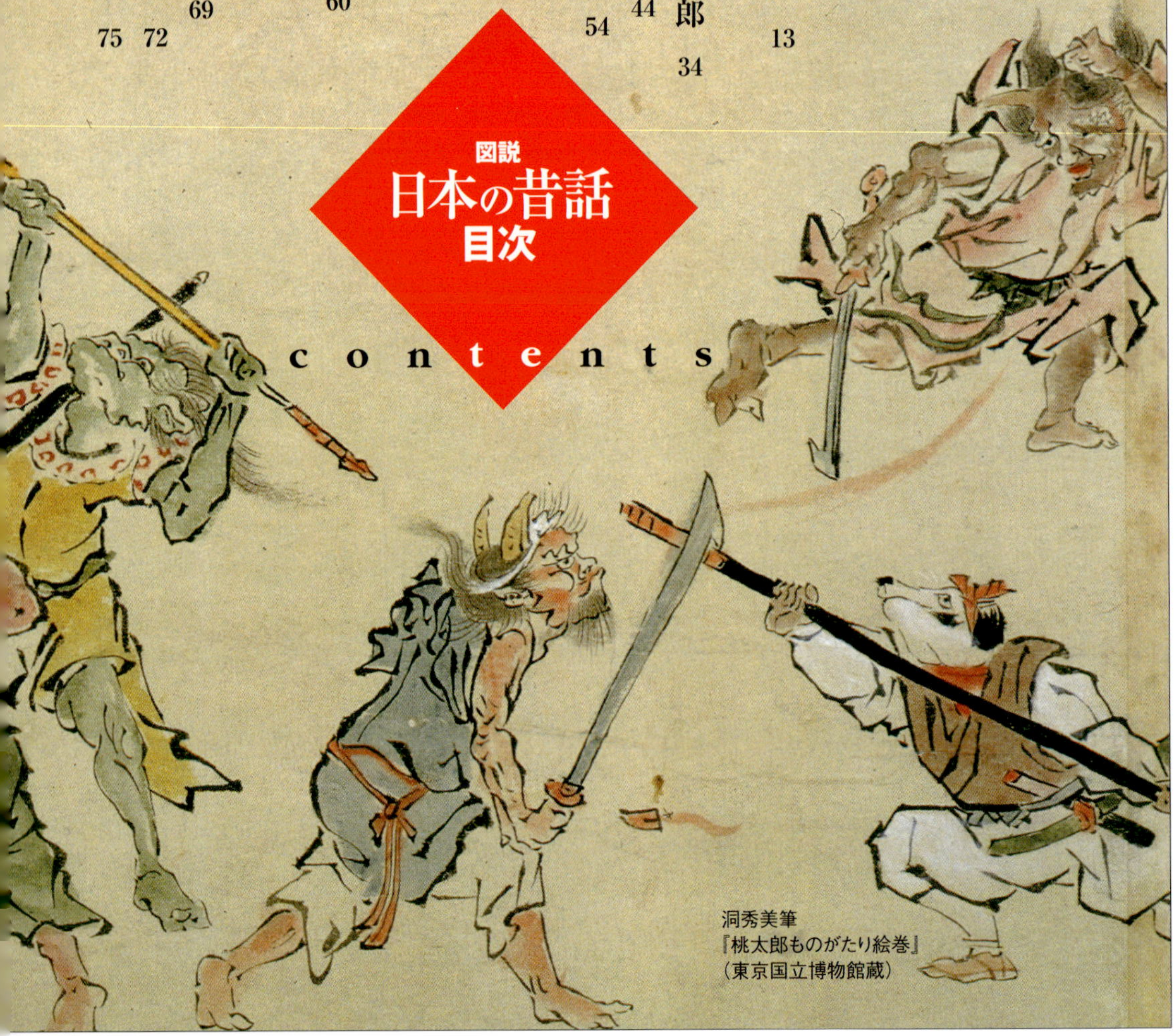

洞秀美筆
『桃太郎ものがたり絵巻』
（東京国立博物館蔵）

昔話の歴史

コラム

凡例

一、版本の挿絵については、外枠を取り、地色を付けたところがある。
一、出版物の発行年は初版で掲げた。
一、「日本昔噺」の発行は、原則として弘文社に統一した。
一、弘文社の「日本昔噺」には異本が見られるが、管見に及んだ本で記述した。
一、昔話の表現のなかには、それぞれの時代状況を反映した差別的なニュアンスを含むものもあるが、資料を紹介するためそのまま残したところがある。

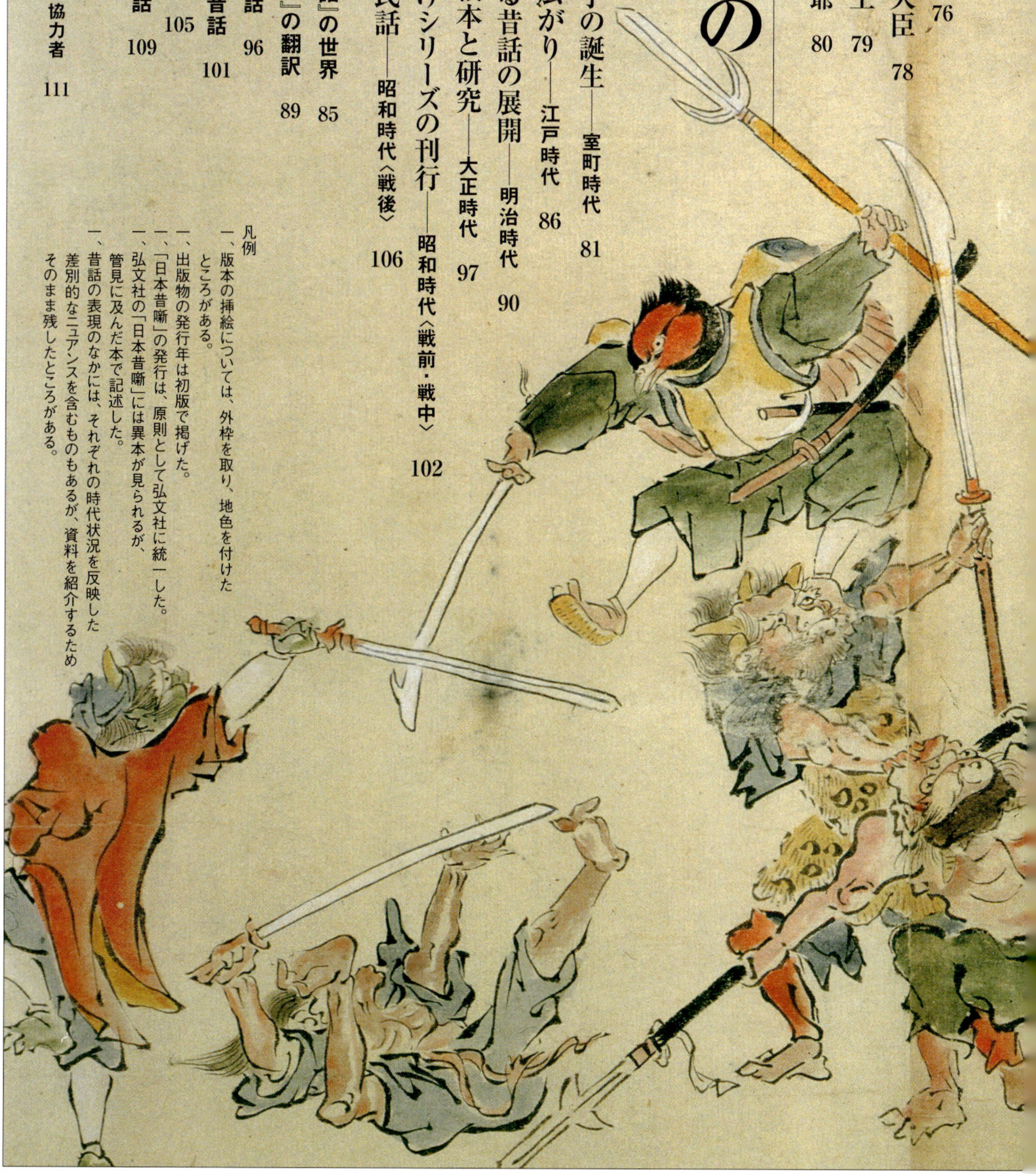

昔話絵本の世界へ

二〇世紀の間に、昔話が語られる場は、村落や家庭から急速に失われた。社会の変動やメディアの発達によって、伝統的な語りの場はもはや存在しなくなった。もう昔話は終わったと言われるようになって久しい。

しかし、私たちは、少なからず昔話を知っている。近年は、アニメによる普及も大きな力になったが、最も大きな役割を果たしてきたのは、絵本であろう。色彩豊かな絵画を見ながら、独特な語り口の言葉を読んでもらった経験は、誰にもあるだろう。

そうした昔話絵本は、今もなお書店の児童書の一角を占めている。にもかかわらず、これまでは研究対象として顧みられることはほとんどなかった。小説などから見れば、子供向けに書かれた作品は、いちだん劣ると考えられてきたからにちがいない。

しかし、価値観が多様化するなかで、今、昔話絵本が見直されはじめている。商業主義

『再板桃太郎昔語』
（東京都立中央図書館蔵
江戸時代）
画家は西村重信。「桃太郎」のストーリーに入る前に、火鉢を囲んで昔話を語る場が描かれている。

に走った安易な絵本があることも確かだが、一方で、関係者が力を尽くして作った絵本も少なくない。実際、そのような絵本は、実に魅力あふれる世界を実現している。

振り返ってみれば、日本は、昔話絵本において、長い歴史をもつ国であった。絵本の定義にもよるが、絵画をともなう昔話作品は早くから書かれていた。日本は世界的に見ても、昔話絵本の宝島だった、と言うことができる。

室町時代には、絵巻や絵本のかたちで、昔話を含む御伽草子《おとぎぞうし》が書かれた。江戸時代になると、御伽草子は手書きから印刷されるようになり、後期には赤本・黒本・青本・黄表紙などと呼ばれる草双紙《くさぞうし》が流布した。明治時代になってからも、小本型絵本をはじめとして、出版が盛んだった。

一方、昔話は教科書や唱歌にも取り入れられた。戦後は、紙芝居にもなって、子供たちを楽しませた。こうした学校教育の場では制度の力が働くので、昔話のストーリーの固定化に、大きな役割を果たしたと言われている。

そもそも「昔話」という言葉は、柳田国男が考案したものだった。柳田はその範囲を厳

『浦島太郎』
（財団法人東洋文庫所蔵　江戸時代）
渋川版。手箱を開け、翁となった浦島太郎を描く。

しく限定して、昔話を学問の対象にしようとした。その結果、日本各地から口承の昔話が掘り起こされ、それをもとに研究が進められた。

しかし、範囲を厳しく限定したために、そこから排除された話も少なくなかった。明治時代に弘文社や博文館は日本昔噺のシリーズを出したが、そこには神話・伝説や英雄談がいくつも含まれていた。これらの話は柳田の定義によれば、「昔話」に含まれなかった。「昔噺」の世界はずいぶん違うものだったのである。

そうした歴史を考慮しながらも、ここでは、昔話絵本の世界を広く紹介したいと考えた。そこで、「昔話」の用字を使いながらも、その範囲をかつての「昔噺」にまで押し広げてみることにした。「昔話」を名乗りながらも大きく逸脱しているのは、そうした理由にもとづいている。

本書はささやかな入門書であるが、この一冊を通して、昔話絵本の魅力を楽しんでくだされば、たいへんな幸せである。

洞秀美筆
『桃太郎ものがたり絵巻』
（東京国立博物館蔵　明治時代）
猫足の四脚台には隠れ蓑・隠れ笠・打出の小槌などが載る。

御伽草子と五大昔話

『桃太郎』『かちかち山』『猿蟹合戦』『舌切り雀』『花咲か爺』の五話は江戸時代から五大昔話と呼ばれて広く親しまれてきた。これらを同じく代表的な昔話である御伽草子の『浦島太郎』など五つの作品とともに紹介する。

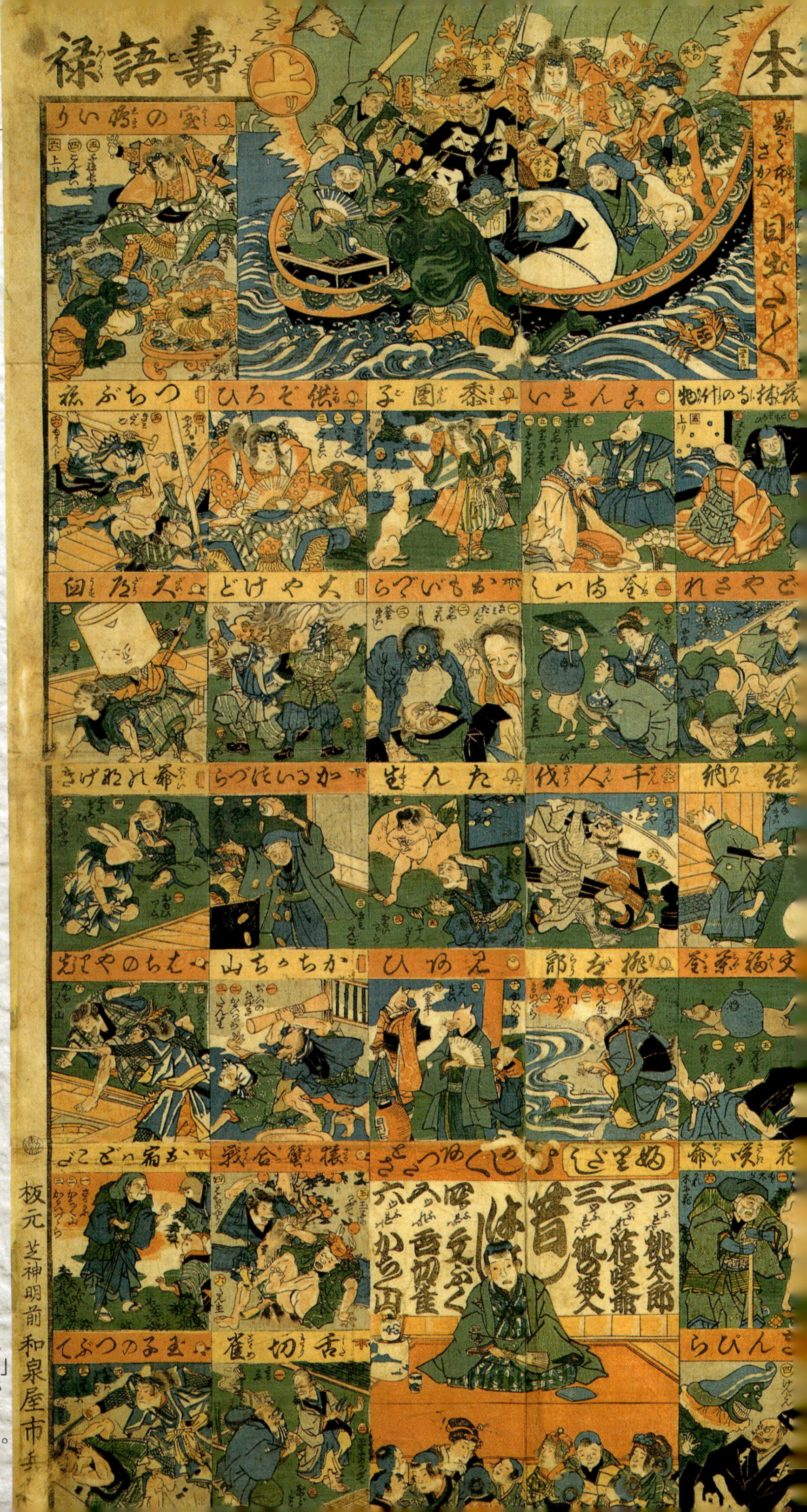

『昔咄赤本寿語禄』（東京都江戸東京博物館蔵 万延元年＝1860刊）一恵斎（落合）芳幾画。「桃太郎」「花咲翁」「狐の娵入」「文ぶく」「舌切雀」「かちかち山」の昔話の要素を取り上げて構成した双六である。

浦島太郎《うらしまたろう》

『浦島の太郎』
（財団法人日本民藝館蔵）
素朴な絵画と簡潔な詞書から構成され、古風な形態を留めている。この絵巻には、古代の説話より後、近世の草双紙より前の「浦島太郎」の世界がよく現れている。

浦島太郎が助けた亀に連れられて竜宮に行き、乙姫と夫婦になるが、地上に戻って形見の玉手箱を開け、老人になってしまう、という話である。主人公がこの世と異郷を行き来し、人間以外の者と結婚する説話の類型にあてはまる。

古くは、『日本書紀』『万葉集』『逸文丹後国風土記』など古代の文献に見える。室町時代の『浦島明神縁起』を経て、江戸時代、『浦島太郎』の版本になって流布した。『浦島太郎』になると、浦島太郎と亀が夫婦の明神となる、と結ぶようになる。

室町時代までは、浦島太郎が亀を助けると、その亀が船に乗った女性となって迎えに来るなどという話だった。しかし、江戸時代になってから、浦島太郎がいじめられた亀を助けたり、亀に乗って竜宮に行ったりするようになる。

明治時代以降も、絵本として読まれ、国定教科書に採用され、『尋常小学唱歌』でも親しまれてきた一方、口承の昔話としても、全国に分布している。韓国にも「竜王の姫と玉手箱」と呼ばれるよく似た話があるが、漁師が逃がしたのは鯉である。

①昔、丹後国（京都府北部）の浦島の太郎は、魚を釣って生活していた。あるとき、えしまが磯で亀を釣ったが、「恩を知れ」と言って海に放してやった。翌日、沖で小船を見つけ、引き寄せて見ると、女性が乗っていた。「大風に遭い、小船に乗せられて流された」と言う。そこで、同じ船に乗り、送りとどけようとした。

②浦島はこがねの浜に着き、御殿の中に呼び入れられた。女性は、「実はえしまが磯で助けられた亀であり、その恩返しがしたい」と言う。浦島は不審に思ったが、そのまま夫婦の仲となり、さまざまな饗応を受けた。ほんの一時と思ううちに、はや三年となってしまった。

③ある時、女性が竜宮浄土の四方四季の景色を見せてくれた。東は春で、梅や桜が咲きみだれ、南は夏で、反橋を架け、池を掘って涼しく、西は秋で、白菊が趣深く、北は冬で白雪が美しかった。

④その後、「浦島が故郷に帰り、父母に別れを告げたい」と暇乞いをすると、女性は「蓋を開けてはいけない」と言って、手箱を渡した。二人は涙ながらに歌を詠み交わした。故郷へ帰った浦島は、出会った翁に自分のことを尋ねるが、それは七〇〇年も前のことだと言われる。そこで、自らの墓を見つけ、歌を詠む。

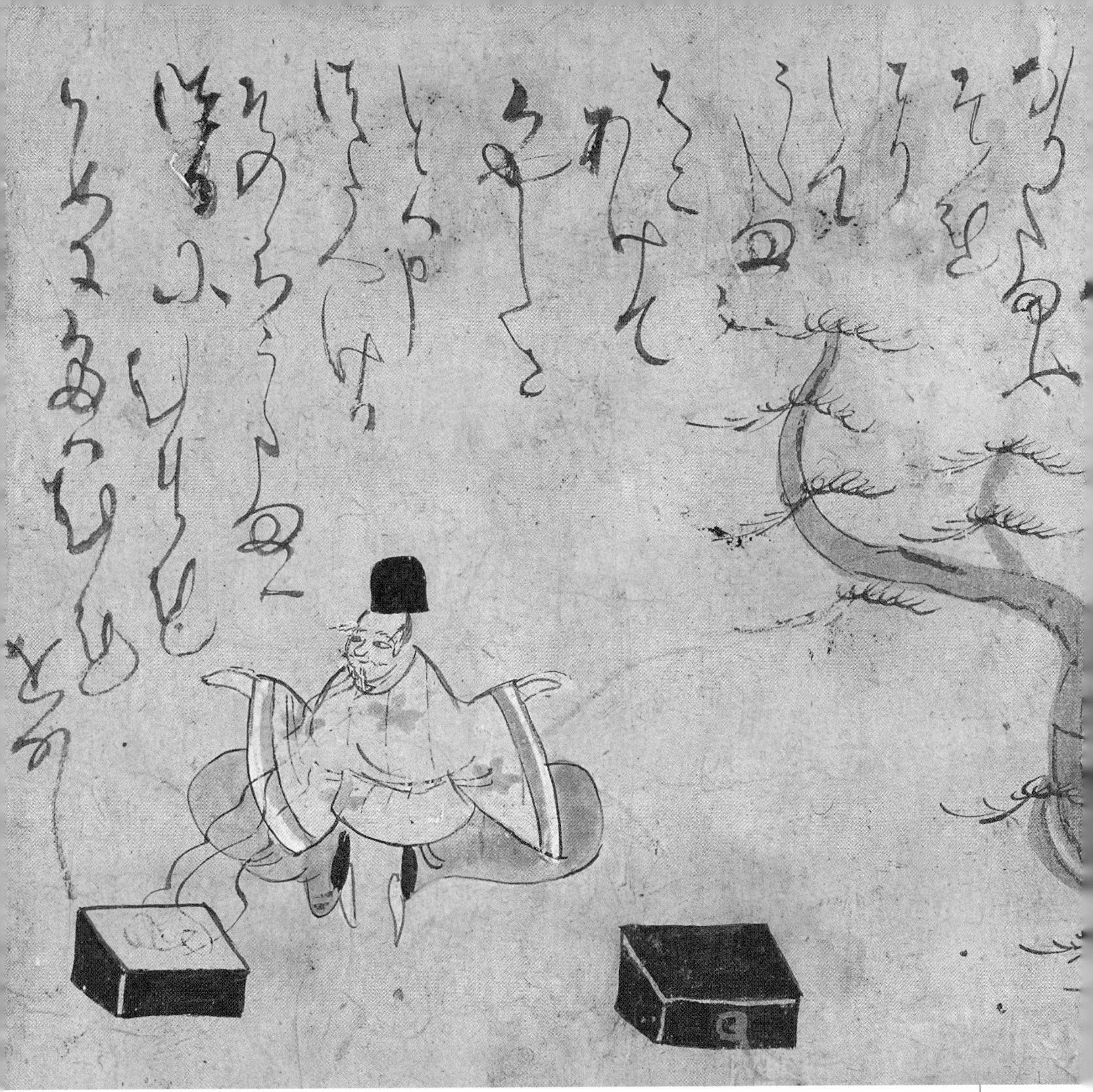

⑤浦島は手箱の中身に興味をもち、つい蓋を開けてしまう。すると、箱の中から煙が三筋立ちのぼり、それが顔にかかって、一〇〇歳の翁になった。それから、「浦島が箱開けて悔しき」という言い伝えができた。その後、浦島は鶴に生まれ変わり、亀と遊び興じていたという。

『浦島太郎』

（財団法人東洋文庫蔵　江戸時代）

渋川版。絵巻や奈良絵本として伝わった御伽草子は、近世になって、版本として出版される。その嚆矢が渋川版であり、23編を収録する。その一つに『浦島太郎』がある。これは、「其後浦島太郎は丹後国に浦島の明神と顕れ、衆生済度し給へり。めでたかりけるためしなり」と結ぶ。

『浦島明神縁起』
（宇良神社蔵　室町時代）
御伽草子の諸本では、浦島太郎は丹後国の人であり、そこで浦島の明神としてまつられたとする。実際、京都府与謝郡伊根町にある宇良神社には、この絵巻や『浦島明神縁起』の一幅が伝わる。これは最も古い絵巻であるが、詞書が欠けている。絵解きに使われたのだろうという推定もある。

『浦島物がたり』
（国立国会図書館蔵
明治13年＝1880刊）
東京の宮田幸助が発行した小本型の絵本。画工は竹内栄久。発端は、浦島太郎が里人に打ち殺されそうな亀を銭を払って助けたので、太郎が海に落ちたときに亀が現れ、甲羅の上に乗せて竜宮城に連れて行った話となっている。結末は、後に浦島明神になったと結んでいて、御伽草子の面影を残す。

『URASIMA（浦島）』

（著者蔵　明治19年＝1886刊）

東京の弘文社が発行していた英語版未製本 Japanese Fairy Tale Series（日本昔噺シリーズ）の第8号。訳はチェンバレン、画は鮮斎永濯。浦島が船で寝ていたところにSea-God（海神）の娘が現れ、Dragon Palace（竜宮）に案内する点では、御伽草子の系統を引くが、四方四季の場面はない。

かちかち山

かちかちやま

動物昔話の一つ。「かちかち山」という話名は、兎が火打石（または火打金）を打って柴に火をつける時の音を、「かちかち山のかちかち鳥だ」などというところから来ている。

滝沢馬琴の『燕石雑志《えんせきざっし》』には、「兎《うさぎ》大手柄《のおほてがら》」として考証され、『再板桃太郎昔語《むかしがたり》』にも、「そのあとでうさぎのてがらをき丶たい」という会話が見える。実際、大東急記念文庫蔵の『兎大手柄』も残っているので、古くは「兎大手柄」（または「兎の手柄」）と呼ばれていたと思われる。

狸が婆を殺害する場面は、その残酷性が問題にされる箇所である。江戸から明治時代までは、殺害の瞬間を写実的に描いたが、現代の絵本ではその前後を描くことはあっても、その場を描くことはなくなってきている。

口頭伝承では、前半と後半が別々に語られることもあり、元々はそれぞれ独立した話ではなかったかと考えられている。しかし、シベリアのツングース系の民族によく似た話が伝承されているという指摘もあり、その成立事情は予断を許さない段階にある。

『かちかち山』
（財団法人東洋文庫蔵　江戸時代）
黒の表紙を付けるが、後のものである。ストーリーを丁寧にたどっている。猫と犬が兎に仇討ちを頼み、兎が萱刈りに行くなどとして合理化を図るが、兎が木舟に乗り、狸が土舟に乗るという対比にはなっていない。

①昔々、爺と婆が住んでいた。爺が山に薪を取りに行き、狸を捕まえてわが家へ帰った。子供たちが、「爺様に狸が負ぶさった」などと笑うので、爺は「俺を化かそうとしたので、狸汁にして食おう」と言う。爺は軒先に狸を吊《つる》しながら、「俺が帰るまでに狸汁をこしらえておけ」と婆に頼むと、婆は手杵《てぎね》で麦を搗きながら「心得た」と答えた。

②狸が「婆様、くたびれたろう、わしが搗こう。腹鼓の踊りを見せよう」と言葉をかけると、婆は「狸の腹鼓の踊りは見たことがない」と喜んで、狸の縄を解いてしまう。狸が腹鼓を踊って見せると、婆は「名人だ。これでくたびれが取れた」と喜んだ。

③狸は「わしが搗くから、こぼれたのを拾え」と言うので、婆がこぼれた麦を拾っていると、狸は杵で婆を搗き殺した。婆は「悲しや、恩をして仇となった」と口惜しがる。

④狸は婆に化け、婆を汁に煮た。爺が帰ると、「たんと召し上がれ。こしらえるのに骨が折れた」と食わせる。爺はそうとも知らず、「この狸は骨が硬いぞ。もう一杯食おう」と食った。そこで、狸は「婆食いの爺や」と言って、山へ逃げる。爺は「知らないこととて、可哀想なことをした」と悔やんで泣いた。

⑤猫と犬が兎のところに行って様子を話し、「狸を平らげたい」と相談する。犬は「爺様の嘆きは目も当てられず、遠吠えもできない」と言い、猫は「婆様を殺されて無念だ。仇を取ってくれ」と頼む。兎は「俺に任せておけ」と快諾する。

⑥猫と犬に案内されて兎が訪ねると、婆に逝かれた爺はたった一人で住んでいた。豆を食っても、茶の沸かし手もいない。爺は兎を信頼し、婆の仇を討つ狸退治の思案を巡らした。兎が「狸を退治してお目にかけよう」と言うと、爺は「あいつは賢い奴だから、油断するな」と注意する。

⑦兎は萱《かや》を刈りに山へ行き、煙草を吸っている狸に行き会った。兎が「家の普請をするので、萱を刈って屋根を葺くのだ」と言うので、狸は「どれほどの屋根なのか」と言って手伝う。狸が萱を背負って山を下りる後ろから、兎が火打金を打つ。狸は「かちかちと音のするのは何か」と尋ねるが、兎は「山の風の音だ」としらばっくれる。

⑧狸が背中に火傷をし、「きさまは俺に怪我《けが》をさせたな」と怒るが、兎が「それは煙草の火が落ちたものだろう。鼬《いたち》の糞を付ければ治る」と言うので、狸は「本当のことか」と頼む。狸はだまされて、兎の操る土舟に乗り、ともに鼬の所へ向かう。

⑨土舟は沖に出ると、水で崩れはじめる。狸は川へ落ちるが、兎は水の上は得意なので、走る。それを岸で見ていた爺は「昔から言い伝える、『狸海中に溺《おぼ》れて、兎は波を走る』とはこのことだ」と喜ぶ。一方の岸で見ていた犬は「兎殿は知恵者でござる」と褒め、猫は「狸は哀れなことだ」と同情した。その後、兎は爺の前で、仇を討った喜びの踊りを踊って祝った。

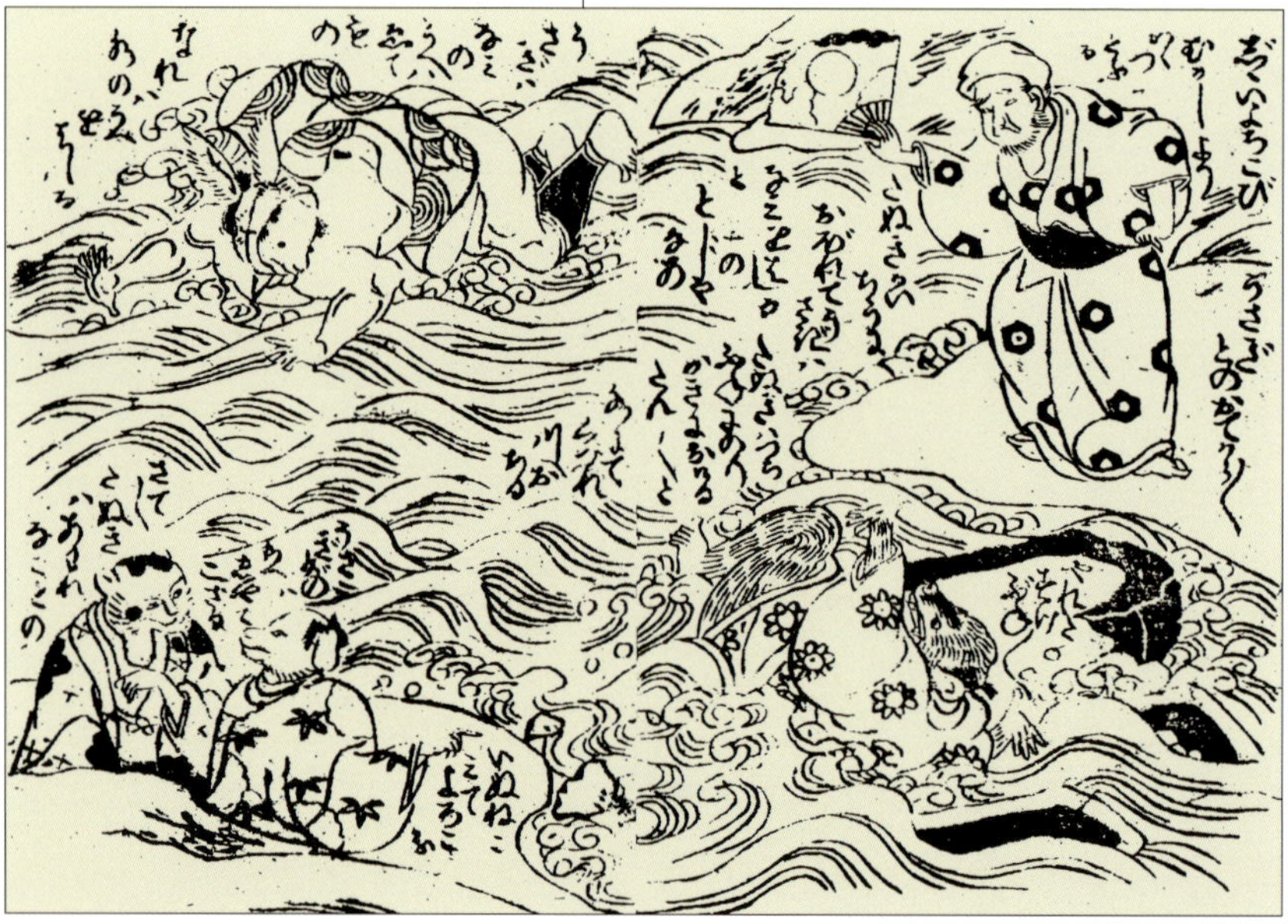

『KACHI KACHI MOUNTAIN（かちかちやま）』
（虎頭恵美子氏蔵
明治19年＝1886刊）

東京の弘文社が発行していた英語版平紙本Japanese Fairy Tale Series（日本昔噺シリーズ）の第5号。訳述はダビッド・タムソン、画は鮮斎永濯。

巌谷小波述
『かちかち山』
（東京学芸大学
附属図書館蔵
明治28年＝1895刊）

東京の博文館が発行していた日本昔噺シリーズの第9編。大江（巌谷）小波述、東屋西丸記、寺崎広業画。悪戯な古狸が婆を殺したのに対して、親切な白兎が敵討ちをするという設定があり、その前提に「天道様は、善を助けて、悪をお懲らしなさる」という勧善懲悪の思想を据えている。

ミット・フォルド著／上田貞次郎訳『英和対訳日本昔噺』
（著者蔵　明治35年＝1902刊）

上段に英文、下段に日本文（ローマ字）の対訳で、8話を収める。「KACHI-KACHI YAMA」の冒頭は、爺と婆が可愛がっている白兎の食い物を、狸が食べてしまったので、爺が捕らえたとして、爺と兎の関係を合理化している。挿絵は、狸が吊され、婆が手杵で麦を搗く様子を描いているが、文章では、狸が婆を噛み殺すさまを述べている。

鉢かづき《はちかづき》

『はちかづき』
(国立国会図書館蔵
『三草紙絵巻』所収　江戸時代)
『三草紙絵巻』は『わださかもり』『はちかづき』『ぶんしやう』の3巻をセットにする。元は奈良絵本だったものを、絵巻に仕立て直したものと思われる。ここに全場面を収録する。

「かづく」とは、頭に被ることを意味する。

母に鉢を被せられた娘が湯屋の火焚きに雇われ、そこの息子に見そめられるが、嫁比べになり、その鉢が取れて美しい姿を現し、中から出た宝物で賞讃されたという話である。

継子いじめの話の一つで、江戸時代に人気があった。明治時代になってからも、『鉢かづき姫』などの名称で絵本にされたが、近年は絵本にされることはほとんどなくなった。

これは口承の昔話を草子化したものと思われ、口承昔話としての報告は多くないが、「鉢かづき」(「鉢かつぎ」)を昔話の一つのタイプに認める場合がある。

よく似た話に、「姥皮《うばかわ》」と呼ばれる話がある。老婆の皮をかぶって主人公を醜く見せるという話であり、継子は風呂焚きに雇われる。「姥皮」と同じ系統の話は、シンデレラなどヨーロッパにも見られる。

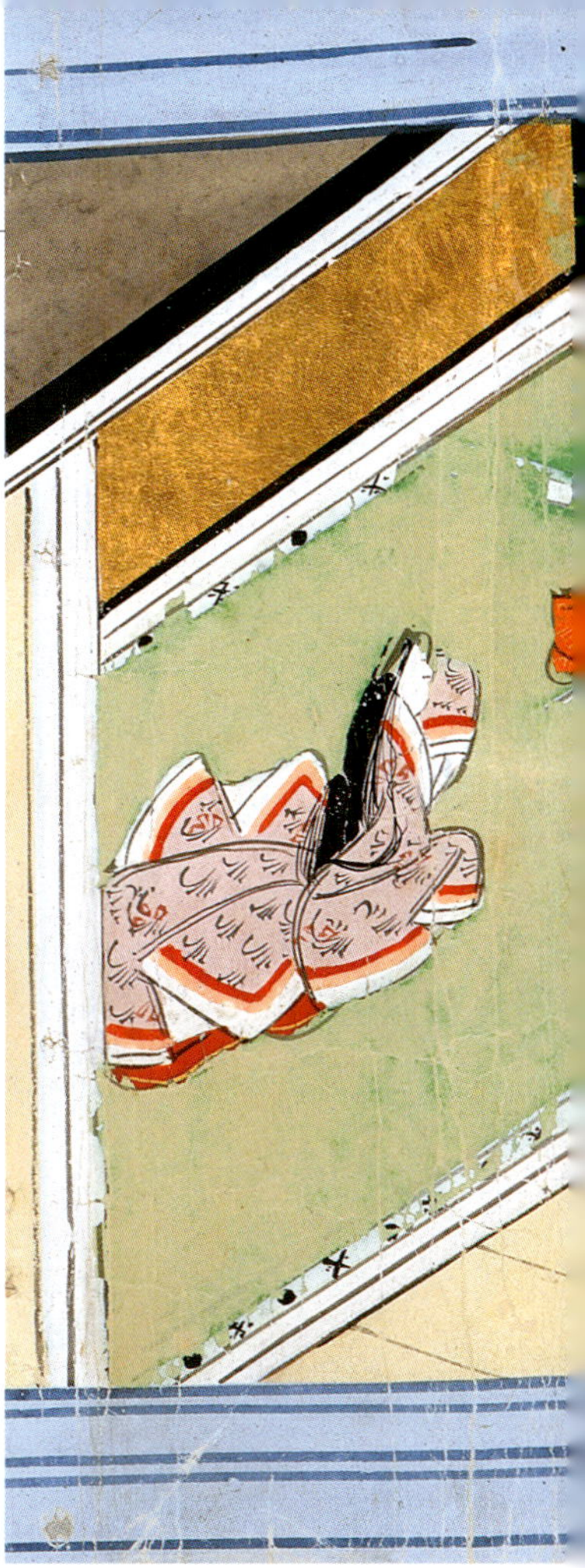

①河内国（大阪府の一部）の備中守《びっちゅうのかみ》さねたかは一人の姫君をもうけ、長谷《はせ》の観音に参っては幸福を祈っていた。しかし、姫君が一三歳のとき、母は風邪をこじらせて危篤になった。姫君を近づけて、手箱を取り出し髪に載せ、肩の隠れるほどの鉢を被せた。

②父は一門の勧めで後妻を迎えた。継母は鉢かづきを憎み、死んだ母の墓に参るのは自分たちを呪っているのだと偽った。それを聞いた父は鉢かづきを呼び出し、野中の四辻に捨てさせた。鉢かづきが足に任せて行くと川の岸辺に着いたので、身を投げたが、被った鉢に支えられて、舟人に助けられた。

③この国の国司である山蔭の三位中将が外を眺めていたときに、鉢かづきが通りかかったので、若侍たちに連れて来させた。一同の者が鉢を取りのけようとするが、取れなかった。そこで中将は鉢かづきを召し使うことにした。

④召し使われた鉢かづきは、湯殿の火焚きを命じられ、明け暮れ行水の湯を沸かすことになった。つらい身ではあったが、柴をくべながら歌を詠むのであった。

⑤中将殿には、四人の子供があったが、末子の宰相殿はまだ一人身だった。宰相殿が夜更けてから湯殿に入ると、鉢かづきの声が優雅で、手足が上品に見えたので、不思議に思った。

⑥宰相殿はこれほど美しい人はめったにないので、見捨てがたいと思って契りを結んだ。しかし、鉢かづきが思い悩むので、これで憂いをはらうようにと、黄楊《つげ》の枕と横笛を置いていった。

⑦宰相殿が湯殿の側の寝室から眺めていると、鉢かづきはもらった枕と笛を持って歌を詠んだので、それに返歌をした。この絵では、宰相殿は小柴垣からのぞくように描かれている。

⑧二人の仲は広く知れるところとなり、宰相殿の母は鉢かづきを追い出そうとしたが、宰相殿は言うことを聞かなかった。そこで子供たちの妻の嫁《よめ》合《あわせ》を行って恥をかかせ、鉢かづきを追い出そうとした。その日になり、宰相殿と鉢かづきが家を出ようとすると、急に鉢が取れ、美しい姫君が現れた。

⑨鉢の中には、金の丸かせ、銀の盃、砂金で作った三つなりの橘、銀で作ったけんぽの梨、十二単《ひとえ》の小袖、紅の千入《ちしお》の袴などが入っていた。

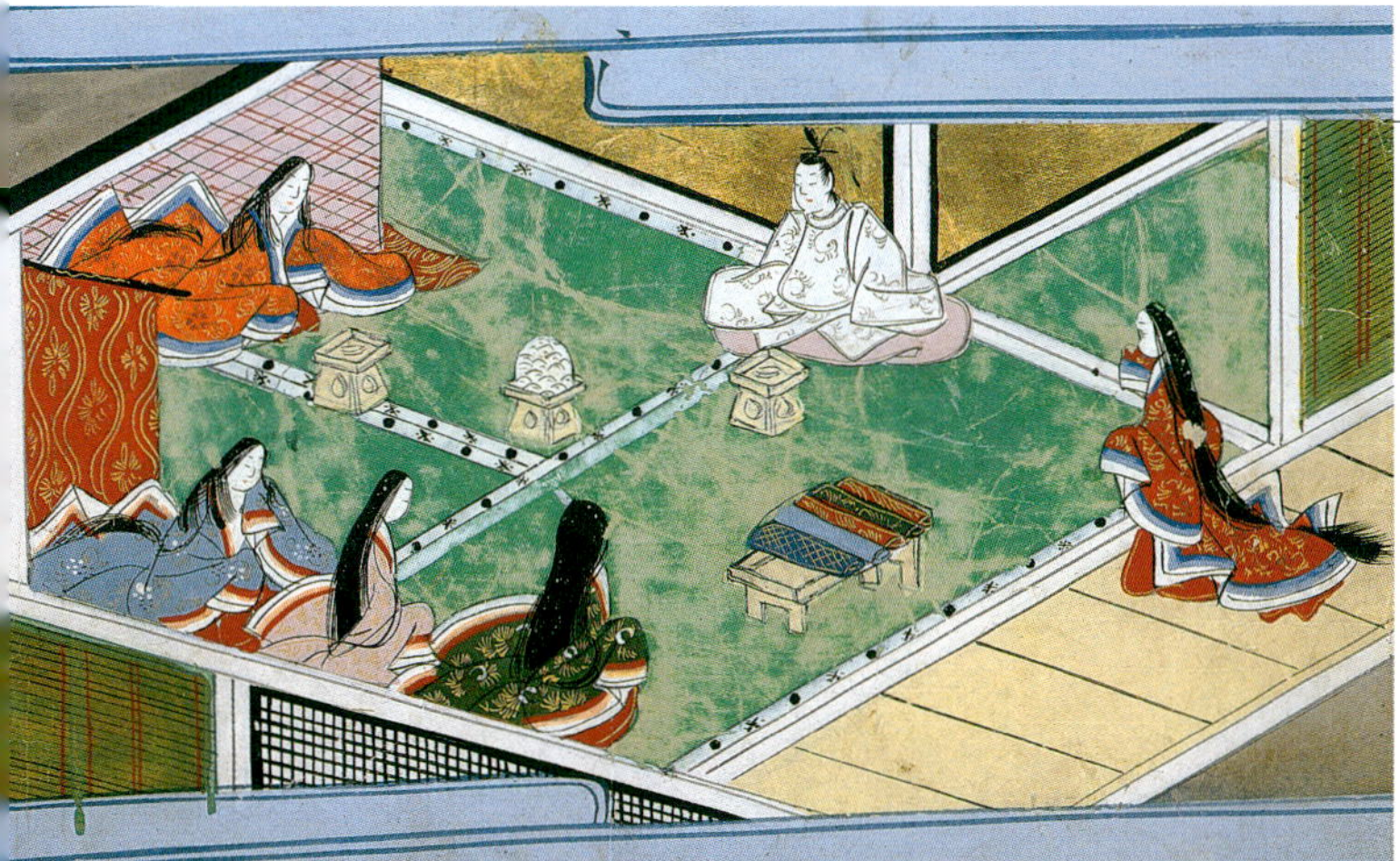

⑩嫁合になり、父母の前に、長男の嫁、次男の嫁、三男の嫁がそれぞれ美しく着飾り、引出物を持って並んだ。そこへ鉢かづきが現れたが、たいへんな美しさであり、多くの引出物を用意していた。

⑪音楽や和歌・習字を試しても、鉢かづきはどれもすばらしかった。父は鉢かづきをほめて、二三〇〇町の所領のうち、一〇〇〇町を鉢かづき、一〇〇〇町を宰相殿、残りの一〇〇町ずつを三人の子供に与えることにした。

⑫一方、鉢かづきの故郷の家は貧しくなり、夫婦の仲も悪くなったので、父は修行に出て、長谷の観音に娘に会わせてほしいと祈った。宰相殿は大和（奈良県）・河内・伊賀（三重県の一部）の三国を賜り、長谷の観音に参詣していた。鉢かづきは父と再会し、宰相殿も妻の素性を初めて知った。

⑬宰相殿は伊賀国に屋敷を造らせ、子孫が栄えた。これもひとえに観音の御利益と思われた。

『はちかづき』

（財団法人東洋文庫蔵　江戸時代）

江戸時代の渋川版の1冊。嫁合の日、鉢かづきと夫の宰相殿が家を出ようとすると、急に鉢が取れ、その中には種々の宝物や衣装が入っていた。

『はちかづきひめ』
（国立国会図書館蔵　江戸時代）
青本。はちかづき姫が13歳のとき、母の御台所は病気が重くなった。姫を近くに呼び、手箱から種々の宝物を取り出して頭に置き、その上に鉢を被せて亡くなった。御伽草子のストーリーをそのまま要約し、各場面を絵画化している。

『THE WOODEN BOWL』
（虎頭惠美子氏蔵
昭和9年＝1934刊）
明治20年（1887）、東京の弘文社が発行した英語版チリメン本 Japanese Fairy Tale Series（日本昔噺シリーズ）の第16号として出された。訳はジェイムス夫人、画は不明。しかし、この号は、明治29年（1896）、『THE WONDERFUL TEA-KETTLE（文福茶釜）』と入れ換えられた。ここに収録したものは、後に、別の挿絵にして、番号のない単行本として出されたものである。発行所は長谷川商店となっている。

桃太郎《ももたろう》

本格昔話の一つ。

桃太郎の出生には、大きく二つのタイプがある。一つは桃を食べて若返った爺と婆から生まれる回春型で、もう一つは川で拾った桃から生まれる果生型である。前者は江戸時代の草双紙に、後者は明治以降の作品と口承の昔話に見られる傾向がある。

口承の昔話を重視したのは民俗学者であった。柳田《やなぎた》国男は異常誕生の子を「小さ子」と呼び、固有信仰を解明しようとした。関敬吾は冒険的な行為に成年式の慣習の反映を見て、海外からの伝播を考えた。

一方、明治以降の作品に注目したのは児童文学研究者だった。滑川《なめかわ》道夫や鳥越信《しん》は、この話が時代の風潮

①爺は山へ草刈りに行き、「そろそろ宿へ帰りましょ。婆が待っているだろう」と言って、柴を背負って帰ってくる。婆は川へ洗濯に行き、桃が流れてくると、「さてさて不思議な桃だ。もう一つ流れて来い。爺に差し上げよう」と言って、取ろうとする。遠方に藁屋根の家が描かれている。

『再板桃太郎昔語《むかしがたり》』

（東京都立中央図書館加賀文庫蔵　江戸時代）

画家の西村重信は18世紀前半に活躍した浮世絵師で、孫三良とも言った。西村重長（33頁参照）の門人かとする説もあるが、不明。冒頭は、桃を食べた爺と婆が若返って桃太郎を生む回春型であり、草双紙には多い。桃太郎の着物や言動などに歌舞伎の影響が見られるところに特色がある。

に強い影響を受けてきたことを明らかにした。

今日、岡山県岡山市や愛知県犬山市など、「桃太郎」伝説をもつ所では、観光資源として活用している。

②桃を食べた爺は若返り、「桃がこのような子になった。桃太郎と付けよう」と喜ぶ。その前で、取上げ婆が赤子を産湯に入れ、「この子は強い子だ。俺の手を跳ねのける」と言っている。部屋の中では、若返った婆が座産をしたところで、「ああ嬉しい」と喜ぶ。側に付き添う女が、「出産後の異常がなくてお幸せ」と言って、湯を飲ませている。

③右側では、桃太郎が「これほどの小石が何の重たいものか」と言って、左手で大石を持ち上げると、若者たちは「まったくあきれた」「手に負えない」と嘆いている。左側では、爺が石臼をひき、婆が粉をこね、桃太郎が団子を丸めている。

④桃太郎が「俺は鬼が島へ宝物を取りに行く。供を致せ。団子は望みに任せて与える」と言うと、猿・雉・犬が団子をもらいに来てお供をする。この場面の桃太郎は、歌舞伎の荒若衆風に描かれている。

⑤右側では、桃太郎が難所を進み、猿は付いて来ていたが、雉と犬は遅れ気味だった。
　左側では、桃太郎が「中の奴らを粉々にしてやろう」と言って、門を破ろうとしている。この場面は、歌舞伎の荒事風に描いているとの指摘がある。

⑥攻め込んだ桃太郎は鬼を押さえつけ、猿・雉・犬もそれぞれに鬼をやっつける。この場面の桃太郎も、荒若衆姿で描かれている。

⑦桃太郎は鬼の上に座り、猿・雉・犬が仕えていると、鬼たちが宝物を出して来る。猫足の四脚台には、隠れ蓑・隠れ笠・打出の小槌が載っている。桃太郎の、「今日はこれきり。どんどんどん」という言葉は、歌舞伎の終演を告げる口上と太鼓の音の真似という。

⑧桃太郎が「鬼が島へ渡り、いろいろ宝物を取って戻った」と言うと、村人が「お手柄お手柄」と褒める。村人の「一番目から詰まで出来ました」という言葉も、歌舞伎の時代物の最初の幕から最後の幕まで終わったことを意味するという。

⑨桃太郎が宝物を持って帰り、爺と婆の前で、打出の小槌を振って金を出している。桃太郎は「この後で米を打ち出してやろう」と言うが、前の男は「ただ金がようござる」と言って、嫌がっている。

『桃太郎』
（国立国会図書館蔵
『絵本あつめ草』所収　江戸時代）

署名はないが、大坂の絵師北尾雪坑斎の作品かと推定される。伏見の里の夫婦に娘があったが、男子がないので、御香之宮に祈願すると、満願の暁に明神が現れて、大きな桃を与えた。家に帰って見ると、桃から頭や手足が出て男子になった。節分に、蓬萊の島の鬼が姉娘を奪ったので、桃太郎は柊と鰯の精を伴って退治に行き、姉娘を奪い返し、宝物を持って帰る。結末は、節分の夜に柊と鰯を門戸に挿す由来になっている。

洞《はら》秀美筆『桃太郎ものがたり絵巻』
（東京国立博物館蔵　明治時代）

『MOMOTARO（再版桃太郎）』
（虎頭惠美子氏蔵
明治19年＝1886刊）

東京の弘文社が発行していた英語版平紙本Japanese Fairy Tale Series（日本昔噺シリーズ）の第1号。内題は「MOMOTARO or Little Peachling」。表紙は、明治18年の初版は桃太郎が鬼が島の門に来た場面だが、これは明治19年の再版で、桃太郎が犬に団子を与えるところになっている。訳述はダビッド・タムソン、画は鮮斎永濯。

猿蟹合戦

さるかにがっせん

動物昔話の一つ。江戸時代の赤本から見られ、明治時代になって教科書に取り上げられたので、広く知られている。

西村重長筆『さるかに合戦』（33頁参照）もそうだが、別の赤本『猿蟹合戦』でも、玉子・包丁・まな箸・熊ん蜂・蛇・手杵・荒布《あらめ》・立臼《たてうす》・蛸が登場する。江戸の赤本では、蟹を助ける人物（もの）が非常に多く、その趣向を楽しんでいたと思われる。

明治になって、巌谷小波の日本昔噺の第三編『猿蟹合戦』（内題は「猿蟹仇討」）では、石臼・焼栗・大蜂に変わる。囲炉裏に隠れているのが、従来の玉子から焼栗に置き換えられたことになる。

口承の昔話では、前半と後半がそれぞれ独立した話としても語られている。前半に似た話はシベリア・インドネシアにあり、後半とよく似た話はアジアやヨーロッパに広がる。「猿蟹合戦」は、前半と後半が日本で結び付いてできたらしい。

①昔々、ある山陰に猿と蟹がいた。ある日、蟹がおむすびを一個持っていた。そこへ猿が自分が食べた柿の種を持ってきて、おむすびと取り替えて食べてしまった。

『猿かに合戦』
（国立国会図書館蔵　明治13年＝1880刊）
東京の宮田幸助が発行した小本型の絵本。画工の竹内栄久は四世歌川国政のこと。『猿かに合戦』は『花咲ぢゞい』『金太郎一代記』『舌切すゞめ』『ぶんぶくちや釜』『浦島物がたり』とセットで売られた。ここに全場面を載せる。

②蟹は柿の種を持ち帰り、庭に植えて実がなるのを楽しみにしていると、日増しに枝が繁り、たくさんの柿がなった。そこで、木の下に行って楽しみにしているところに、猿がやって来た。

③猿が「このように落ちるまで、なぜ食わないのか」と尋ねると、蟹は「木に登れないので、取ることができない。あなたが取ってくれるなら、分けてやろう」と言った。猿はそれを聞くよりも早く木に登り、熟した柿を食べて、下へは少しも寄越さないので、蟹はやかましく罵った。すると猿は、渋柿を取って、蟹を目がけて投げつけ、散々に悩ませた。

④そこへ玉子が急いで来て救い、猿は山奥へ逃げ帰った。その後、玉子は蟹に向かって、「自分の友達に立臼、蜂という者がいる」と言って、早くも二人を引き連れて来て相談を始めた。玉子は「囲炉裏に入って跳ねてやろう」と決意を語る。

⑤玉子と蜂と立臼が手分けをして待っていた。そうとも知らず、猿は残りの柿を目当てに蟹の家にやって来て、「先日はとんだ失礼。そのお詫びに来た」と言った。

⑥猿が囲炉裏の側に近づくと、その中から玉子が跳ね出して、猿の面を焼き付けた。猿はびっくりして、火傷に糠味噌を付けようと桶に近寄ると、その脇から蜂が飛び出して刺した。

⑦猿はこれはかなわないと逃げ出したが、そこを立臼が組み伏せ、猿に言い聞かせた。猿も今はどうしようもないので、本心に立ち返って、彼らの仲間に入ることにした。めでたしめでたしめでたし。

『さるかに合戦』
（財団法人東洋文庫蔵　江戸時代）

赤本。画家の西村重長は18世紀中頃に活躍した浮世絵師であった。この作品は、蟹の仇討ちをするのが、蛇・蜂・荒布・立臼・手杵・玉子・包丁と多いことが特色になっている。絵は、蟹が柿の種を蒔き、一夜のうちに実をならせたが、枝に登ることができないでいると、猿が来てうまい柿を食べ、渋柿を投げつけた場面。蟹の上に、「さわがにはさみのすけなんぎ」（沢蟹鋏之助難儀）とある。表紙はこの場面を簡略化したものだが、後版と思われる。

『猿蟹合戦絵巻』
（遠野市立博物館蔵　江戸時代か）

「猿蟹合戦」の絵巻としては他に例がなく、珍しい。猿が蟹に柿を投げつけて逃げる場面と、仇討ちに臼・蛇・蜂・荒布・包丁が集まる場面。赤本の影響を受けていると思われる。

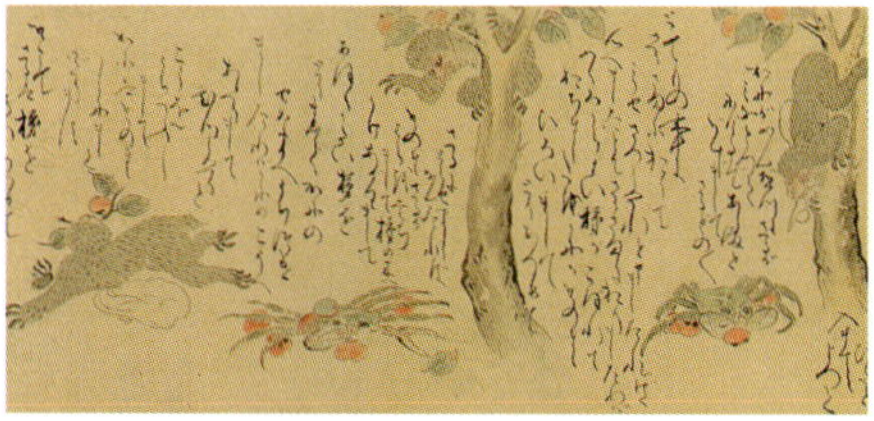

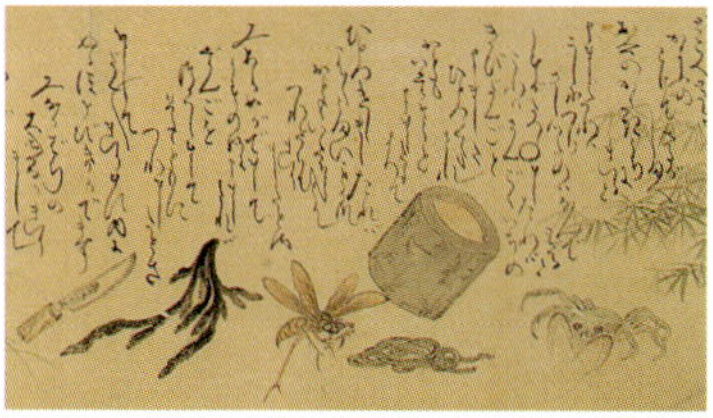

『物くさ太郎』
（国立国会図書館蔵
江戸時代）
寛延3年（1750）に写された奈良絵本。内容は渋川版の御伽文庫などと大きな違いはないが、古態をとどめているという評価もある。ここに全場面を収録する。

ものぐさ太郎《ものぐさたろう》

古くは清音で「ものくさ」と言ったが、現在では「ものぐさ」と濁音化している。

前半はものぐさだった主人公が、後半ではまめに働き、謎かけや歌にも精通していて、態度の変化が著しい。それは「のさ」（ゆったりしているさま）の精神が二面で現れたのだとする見方がある。

渋川版の御伽文庫では、ものくさ太郎はおたがの明神、妻はあさいの権現としてまつられたとして終わる。『おたかの本地』とする伝本もあり、主人公が死後、神仏に転生する本地《ほんじ》物であることを明確に示している。「おたか」には諸説があるが、「穂高」が訛ったとする説が有力である。

古く『宇治拾遺物語』に原形が見られる。口承の昔話としては、「隣の寝太郎」と呼ばれ、日本全国に分布する。山口県の厚狭《あさ》の寝太郎荒神のように、伝説化したものも見られる。児童文学では、木下順二の作品の影響もあってか、「三年寝太郎」と呼ぶことが多い。

①信濃国（長野県）つるまの郡《こおり》あたらしの郷《さと》に、ものくさ太郎ひじかすという者がいた。ものくさ太郎は国で並ぶ者がないほどの不精者であった。その家は竹を四本立てて薦《こも》をかけたもので、そこで寝て暮らしていた。ある時、餅を五つもらい、四つを食べ、残り一つをもてあそぶうちに、大通りに転がしてしまった。しかし、拾おうともせず、竹の竿で犬や烏が近づくのを追い払うことしかしなかった。

②信濃の国司の二条大納言ありすえが、あたらしの郷に長期の夫《ぶ》役《やく》を割り当てると、農民たちはものくさ太郎を選んで上京させることにした。長老格の四、五人がものくさ太郎のところに行き、男というものは元服・結婚・旅という三度の晴れがましい儀礼をして成長するのだと説得した。

③納得したものくさ太郎は京へ旅立ち、二条大納言の屋敷を訪ね、そこで召し使われた。その態度には少しも無精なところはなく、まめに働いたので、これほどよく働くものはあるまいと褒められた。

④夫役が終わり、ものくさ太郎は宿の主人に妻を捜してほしいと頼んだ。しかし、主人は辻取《つじどり》（路上で女性をとらえること）をするのがいいと言い、ちょうど一一月一八日の観音の縁日なので、清水寺に行くことを勧めた。ものくさ太郎は清水の大門で大手を広げて女が現れるのを待ったが、往来の人々は恐れて近づかなかった。

⑤そこに一七、八歳の美しい女が、下女一人を連れてやって来た。ものくさ太郎はこれこそ自分の奥方になる人だと思い、大手を広げて近寄り、笠の中に顔を入れ、腰に抱きついた。

⑥女は辻取だと思い、謎かけをしたが、ものくさ太郎はことごとく解いた。次に、女は歌を詠みかけ、返歌に窮して手をゆるめたすきに、下女も連れずに逃げ出し、ものくさ太郎は行方を見失ってしまう。

⑦ものくさ太郎は、女の歌に「唐橘《からたちばな》の紫の門《かど》」とあったので、侍の詰所に行って尋ね、それは豊前守《ぶぜんのかみ》殿の御所にあったと聞く。その屋敷に着いて捜したが、目当ての女がいないので、縁の下に隠れていた。その女は侍従の局《つぼね》と呼ばれる女房であり、下女はなでしこと言った。女が広縁に出て、下女と清水で出会った男の話をしたので、ものくさ太郎は縁の下から名乗りをあげた。

⑧ものくさ太郎が歌を詠むと、女はそれに心動かされ、大口袴・直垂《ひたたれ》・烏帽子《えぼし》・刀を用意して、その着方を教え、身だしなみを整えさせた。下女のなでしこがものくさ太郎の手を引いて行くが、油を塗った板の上を歩いたことがないので、あちらこちら滑りながら、襖《ふすま》の中に入って隠れた。

⑨女はものくさ太郎と結婚し、太郎を七日間風呂に入れた。ほどよく繕うと、ものくさ太郎は美男になり、礼法を教えるとすばらしい人になった。

⑩ものくさ太郎の評判は宮中にまで知れわたり、参上して歌を詠み、その先祖は仁明天皇の皇子二位の中将だと知れた。ものくさ太郎は甲斐（山梨県）・信濃の両国を賜り、妻と下向して一二〇年も長生きした。死後、ものくさ太郎はおたがの明神、妻はあさいの権現としてまつられた。

『ものくさ太郎』

（財団法人東洋文庫蔵　江戸時代）

渋川版。末尾には、ものくさ太郎が宮中に召されて歌を詠む場面や、ものくさ太郎と妻が神にまつられた境内の様子の挿絵がある。

巌谷小波述
『物臭太郎』
（東京学芸大学附属図書館蔵
明治28年＝1895刊）
東京の博文館が発行していた日本昔噺シリーズの第11編。大江（巌谷）小波述、東屋西丸記、梶田半古画。物臭太郎が辻取をした後、縁の下に隠れる場面はなく、結婚の記述が省かれている。小波は末尾の付記で、御伽草子に拠ったが、小児にわかりかねることや小児に話しかねることは、省略したり改作したりしたと述べている。

馬に乗った地頭が、小鳥をとる小鷹狩りに使う目白の鷹をすえさせた手勢を連ねて、ものくさ太郎の前を通る。

ものくさ太郎が豊前守殿の御所を訪ね、縁の下に隠れていると、侍従の局が広縁に出て、下女のなでしこと、清水で出会った男（ものくさ太郎のこと）の噂をする。

舌切り雀《したきりすずめ》

この話は、文献では『宇治拾遺物語』の「雀報恩の事」が早い。しかし、これは「腰折れ雀」の話で、爺が雀の宿を訪ねる設定はない。「舌切り雀」は、爺が宿を訪ねるところに主題があり、柳田国男は別系統の話ではないかと見ている。

口承の昔話では、爺や婆が雀の宿を訪ねる際に、馬や牛の洗い汁を飲むといった厳しい試練が課されている。試練はさまざまだが、汚いものを飲むことが多い。こうした試練が厳しいほど、爺の愛情の深さと婆の欲の深さが明確になるという機能を持っている。

江戸時代の赤本や巌谷小波の日本昔噺の第七編『舌切雀』には、こう

した試練は見られない。しかし、このモチーフは後から加わったのではなく、むしろ、口承のほうが原形なのではないかと考えられている。

①中昔のこと、弥五太夫という者は正直で、慈悲心が深かった。あるとき、新八をお供にしてよそから帰る途中、子供たちが雀を捕らえて打ち殺そうとしていたので、銭を与えてもらい受けた。弥五太夫が家に帰ると、娘のお梅は喜んで可愛がったが、慳貪《けんどん》婆は腹を立てた。爺の留守に婆が洗濯をしていると、雀が籠から出て糊《のり》を舐《な》めたので、婆は腹を立て、雀の舌を切って放した。

②弥五太夫は雀を不憫に思い、お梅・新八と捜しに出た。すると雀が迎えに出て案内し、雀の隠れ里に連れて行った。三人そこでたいそうな御馳走にあずかった。その席には、雀の芸者たちが呼ばれ、瀬川菊之丞（一八世紀前半の歌舞伎役者）が踊った槍踊りを踊った。

『したきれ雀』

（財団法人東洋文庫蔵　江戸時代）

赤本。表紙は元表紙と思われ、弥五太夫が子供たちに銭を与えて雀を買い取る場面を描く。人物には、爺に弥五太夫、供人に新八、娘にお梅という名前があり、発端に「浦島太郎」と同型のモチーフが入り、末尾に婆の分の葛籠（つづら）を供人が背負って持ち帰る点などに特色が見られる。

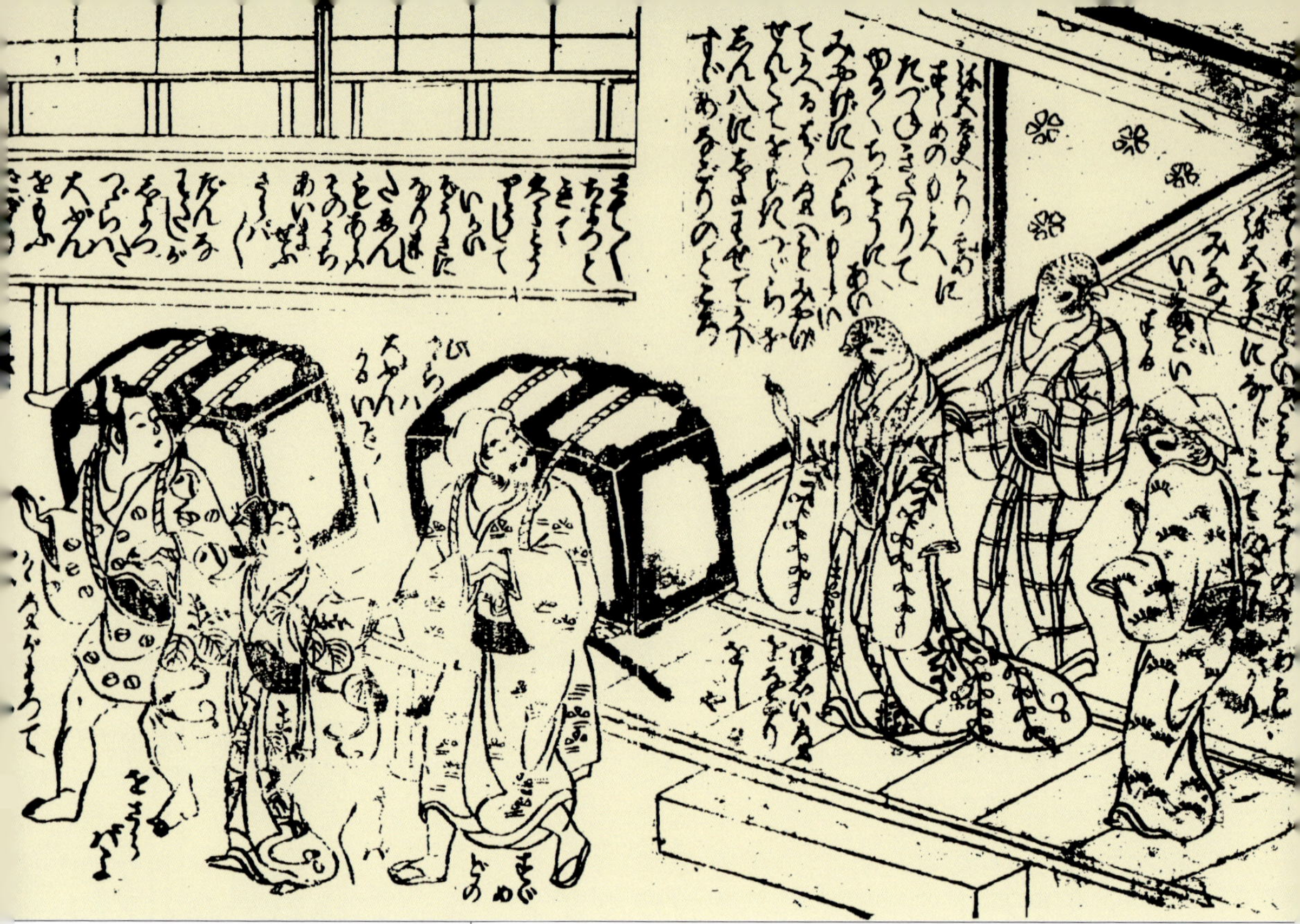

③弥五太夫は土産に葛籠をもらって帰るが、婆にも土産をもっていこうと、重い葛籠は新八に背負わせた。弥五太夫が家に帰って葛籠を開けると金銭が出て、一生栄華に暮らした。しかし、慳貪婆が重い葛籠を開くと、化け物が出て来て食い付いた。

『舌切すゞめ』
（国立国会図書館蔵
明治13年＝1880刊）
東京の宮田幸助が発行した小本型の絵本。この作品では、正直な爺の隣に欲深い婆が住んでいたという設定になっている。2つの絵は、爺が軽い葛籠を背負って、雀たちに見送られて帰り、家に着いて開けてみると、多くの宝物が出てきたが、その様子を隣の婆がのぞき見ているという展開を表す。宝物の中に、隠れ蓑・隠れ笠・打出の小槌が描かれているのは、『一寸法師』『再板桃太郎昔語』と共通する。

『THE TONGUE-CUT SPARROW（舌切雀）』
（虎頭恵美子氏蔵　明治18年＝1885刊）
東京の長谷川武次郎が発行者になっている英語版チリメン本Japanese Fairy Tale Series（日本昔噺シリーズ）の第2号。訳述はダビッド・タムソン、画は鮮斎永濯。正直な爺と婆が大切に飼っていた雀の舌を切ったのは隣の欲深い婆であり、この婆は結末で、化け物たちに殺されることになる。

一交斎芳盛画
『昔ばなし舌切雀』
（国立国会図書館蔵
元治元年＝1864刊）
幕末に出た3枚続きの錦絵。葛籠を持つ爺と、葛籠をのぞくと、中から化け物が出てきて腰を抜かす婆を対比的に描く。

酒呑童子《しゅてんどうじ》

源頼光《らいこう》が碓井《うすい》貞光・卜部《うらべ》季武《すえたけ》、渡辺綱・坂田公時《きんとき》の四天王と藤原保昌《ほうしょう》の協力を得て、都の姫君を奪い去ってゆく酒呑童子と呼ばれる鬼を退治する話である。

酒呑童子はその名のとおり常に酒を好んで飲み、昼は幼い人間の姿をしているが、夜になると鬼の正体を現した。その原像については、猛威を奮った疫神《えきじん》に見たり、山中の捨て童子に見たりする説がある。

この物語は、鬼の住む場所によって、丹波（京都府中部と兵庫県一部）と丹後（京都府北部）の国境の大江山とする系統と、近江（滋賀県）と美濃（岐阜県南部）の国境の伊吹山とする系統に分かれるが、物語の骨

『酒伝《しゅてん》童子絵』（東洋大学附属図書館蔵）

伊吹山系の伝本に属し、渋川版の御伽文庫などと比べても、古風な形態がうかがわれる。

格は等しい。謡曲の『大江山』や版本の『酒呑童子』が大江山を舞台にしたことから、大江山系の話がよく知られている。

　従来、民俗学ではこの話を昔話に入れていないが、主人公が鬼退治をする話としては、『桃太郎』や『一寸法師』などよりも歴史が古い。

①一条天皇の御代、都の美しい女性たちが行方不明になり、池田中納言国方《くにかた》卿の姫君も見えなくなった。安倍晴明《あべのせいめい》に占わせると、伊吹山の鬼の仕業だと言う。そこで頼光に鬼退治を命じた。頼光は綱・公時・貞光・季武の四天王を召し連れて、宮中の紫《し》宸殿《しんでん》に参上した。赤地錦の直垂《ひたたれ》を着て、脇《わき》楯《だて》や小手を付けた頼光に対して、勅命を受けた国方卿が階段を下りて、その言葉を伝えている。綱・公時・貞光・季武の四人は武装して、庭に控えていた。
　その後、頼光と四天王は、神の力を得るために、それぞれ氏神である石清水八幡宮・住吉大社・熊野三社に祈願に行った。

②頼光は四天王に保昌を加え、六人で笈《おい》を背負って、伊吹山に向かった。途中、男二人と山伏一人に千町ヶ嶽と鬼の岩屋のことを聞き、毒の酒をもらう。三人に案内されて、千町ヶ嶽を越え、岩屋の穴に入り、谷川までたどりついた。すると、三人は「八幡・住吉・熊野の神の化身である」と名乗り、姿を消す。

③川を上ってゆき、洗濯をしている女性に尋ねると、「都の者で、鬼の餌食《えじき》となるはずだったが、生きながらえている」と言い、「探している鬼はさらに川上に四方四季の景観を備えて住み、主君は酒伝童子だ」と教える。

④一行が門に着くと、酒伝童子に迎えられる。宴が始まり、出された人の血の酒と股の肉の肴を食べる。頼光らは、都の酒に毒の酒を添えて出し、酒伝童子をはじめとする鬼たちに飲ませ、酔わせてしまう。

⑤夜中、六人は武装して、酒伝童子の手足に鎖を巻き、その首を取った。首は天空に飛び上がり、しばらくして頼光の兜に噛みついた。鬼たちも皆酔っているので、簡単に討たれてしまう。すると邸宅の四方四季の景観も消え、岩屋には人骨が数え切れないほどあった。一行は童子の首を担ぎ下ろし、女性たちも逃げ出した。

　一行が都に帰ったときには、幾千万の人々が迎えに出た。国方卿の姫君も帰り、父母や乳母はたいへん喜んだ。このような六人の行いは昔にも例がなく、晴明の人相見は世にもまれであると、人々はうわさした。そのために、この一国は富み栄え、都も田舎も賑わっているのである。

酒顛童子は頼光たち6人を呼び入れて、宴会を始めた。鬼が血の酒を銚子に入れて持ち、人の足を載せた俎板と盃を載せた三方が出されている。

『酒顛童子』
（財団法人東洋文庫蔵
江戸時代）
渋川版。これは大江山系の話。

酒に酔った酒顛童子の姿はまったく変わっていた。そこで手足を鎖で柱につなぎ、頼光が首を切ると、その首は頼光をめがけて噛みついてきた。

巌谷小波述『大江山』
（東京学芸大学附属図書館蔵
明治28年＝1895刊）
東京の博文館が発行していた日本昔噺シリーズの第6編。大江（巌谷）小波述、東屋西丸記、歌川国松画。これは表題のとおり、大江山系の話になっている。安倍晴明が占ったり、人の血の酒と股の肉の肴を食べたりする場面はない。小波は付記で、この世に鬼がいるはずもなく、大盗賊と子分が大江山に立て籠もっていたのだと説明している。

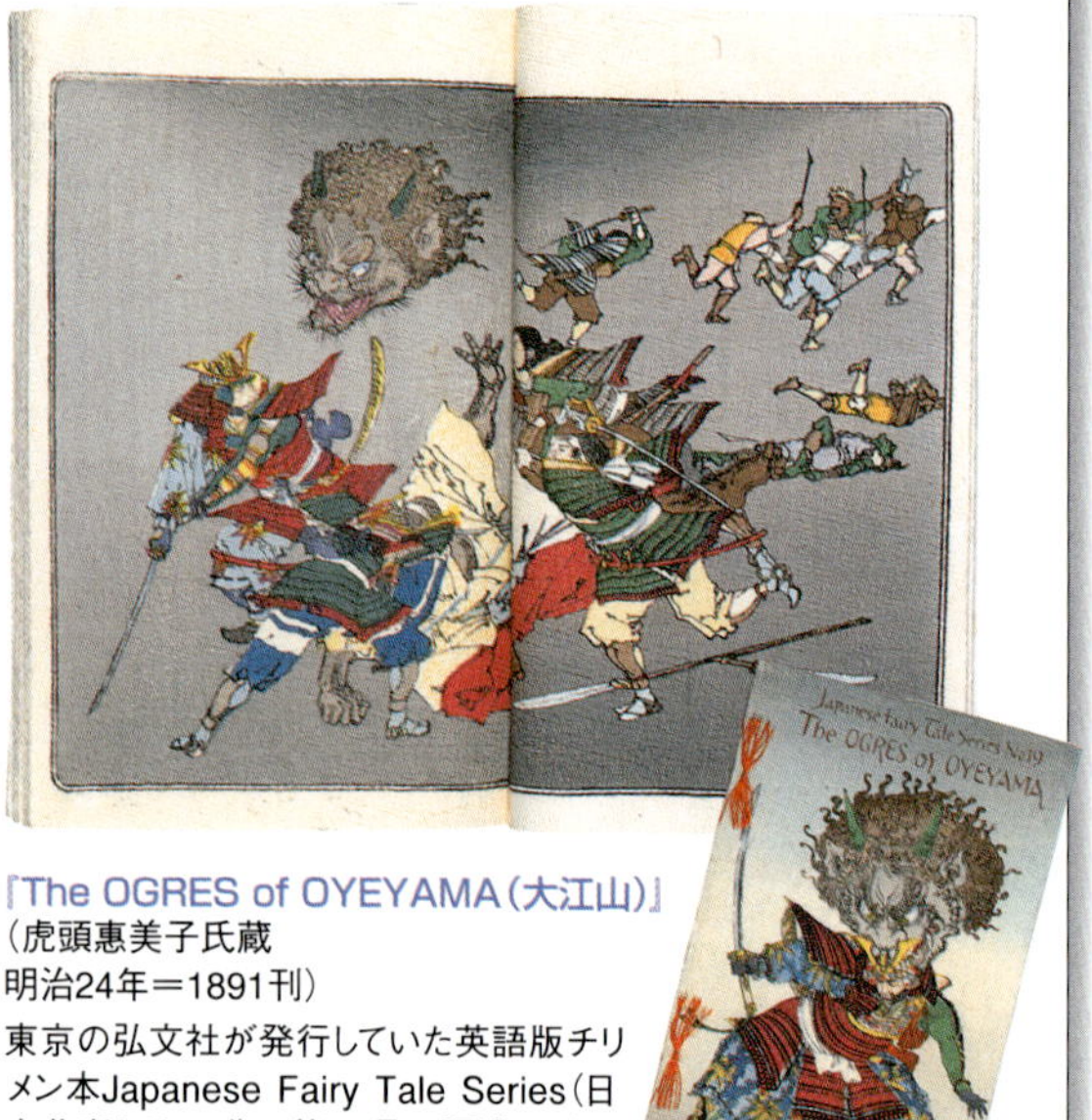

『The OGRES of OYEYAMA（大江山）』
（虎頭惠美子氏蔵
明治24年＝1891刊）
東京の弘文社が発行していた英語版チリメン本Japanese Fairy Tale Series（日本昔噺シリーズ）の第19号。訳述はジェイムス夫人、画は不明。OGRESは人食い鬼のことをいう。

花咲か爺《はなさかじい》

江戸時代の赤本から登場し、教科書や唱歌にも取り上げられ、よく知られている。口頭伝承としての報告が多いが、そうした文献の影響を強く受けたと言われる。

正直な爺と欲深い爺という対照的な二人のやりとりで話が進んでゆく、典型的な隣の爺型の昔話である。正直な爺が大切にしていた犬を欲深い爺が殺して木の下に埋め、その木から臼を作り、その臼から灰をとり、その灰を撒いて、一方は財産を手に入れ、もう一方は酷い目に遭う。犬の変化が興味の中心になっている。

よく似た話に「雁《がん》取り爺」がある。この話は、灰で飛ぶ雁を落とすという結末である。その分布が日本列島の北と南に偏していることなどから、「雁取り爺」を基盤にして、「花咲か爺」が生まれたと考えられている。

海外でも、韓国の「兄弟と犬」や中国の「狗耕田《くこうでん》」などよく似た話がある。これらは「花咲か爺」と違って兄弟型である。犬が畑を耕すモチーフを重視している点で、農耕との関連が深いとされている。東アジアの視野で考えるべき昔話である。

『花咲ぢゞい』
（国立国会図書館蔵　明治13年＝1880刊）
東京の宮田幸助が発行した小本型の絵本。画工の竹内栄久は、子供向きには替わり絵や組立て絵（立版古）を描いて活躍した。値段は1銭5厘。ここに全場面を載せる。

①昔々、ある田舎に正直な爺がいた。日頃、飼っている犬を、わが子のように可愛がっていた。ある日、その犬が爺の袖をくわえて引くので、爺も何をするのかと思って一緒に行った。

②犬がしばらく立ち止まり、しきりに地を掘るので、爺も何心もなくその場所を掘ったところ、種々の宝物が出てきた。その隣に欲の深い爺がいて、これを見てうらやましがり、その犬を借りに来た。

③隣の爺がその犬を引き連れてゆくと、途中で転んだので、その場所を掘ったところ、汚物や犬の糞がたくさん出てきた。欲張り爺はひどく怒り、その犬を殺してしまった。

④正直爺が嘆き悲しんで葬ると、その夜の夢枕に犬が現れて、「埋めた側にある松の木で臼を作り、餅を搗け」と言った。そのとおりにすると、臼の中からたくさんの小判が現れた。

⑤それをあの欲深い爺が見て、臼を借り餅を搗くと、汚物や犬の糞がたくさん出てきた。怒って、臼を壊し、囲炉裏の中へくべて燃やしてしまった。正直爺は臼を取りに来るが、事実を知って嘆き悲しみ、その灰を持ち帰った。

⑥正直爺は、その灰を笊《ざる》に入れて枯れ木に登った。そこへちょうど通りかかった殿様が尋ねると、「私は枯れ木に花を咲かせる爺でございます」と言った。殿様が「ひとつ花を咲かせて見せろ」とおっしゃるので、爺が灰を撒くと、枯れ木に花が一面に咲いた。殿様は喜んで、爺は種々の宝物を戴いて帰った。

⑦欲深爺がこれを聞きつけ、灰を持って枯れ木に登ったところに、殿様が通りかかった。殿様が求めるので、爺が灰を撒くが、花は咲かず、ついに殿様の目に入ってしまった。殿様は立腹し、爺はお供の衆に打たれ、詫び言をして逃げ帰った。正直爺は殿様に呼び出され、御扶持を戴いたという。めでたしめでたし。

『The Old Man Who Made The Dead Trees Blossom（花咲爺）』
（著者蔵　明治18年＝1885刊）
東京の弘文社が発行していた英語版チリメン本Japanese Fairy Tale Series（日本昔噺シリーズ）の第4号。訳はダビッド・タムソン、画は鮮斎永濯という。結末は、欲深い婆が血を流す夫を遠くに見て、豪華な着物を着せてもらったと勘違いする終わり方になっている。ドイツ語版の表紙は臼を壊す欲深い爺を描いている。

ミット・フォルド著／上田貞次郎訳『英和対訳日本昔噺』
（著者蔵　明治35年＝1902刊）
上段に英文、下段に日本文（ローマ字）の対訳で、8話を収める。「KARE TARU KI WO HANA SAKASESHI JIJI NO HANASI」の結末は、良い老人たちが身代の幾分かを与えたので、邪慳な夫婦は悔い改めて良い行いをして暮らしたとする。

巌谷小波述『花咲爺』
（東京学芸大学附属図書館蔵　明治27年＝1894刊）
東京の博文館が発行していた日本昔噺シリーズの第5編。大江（巌谷）小波述、東屋西丸記、水野年方画。殿様の秘蔵の庭の桜の木が枯れたので、不思議な灰を持つ爺が御殿に呼ばれたという設定にするなど、種々の合理化が図られている。隣の爺が犬を殺す道具は、本文では「鍬」だが、挿画は棒になっている。

『枯木花さかせ親仁』
（財団法人東洋文庫蔵　江戸時代）
表紙は、赤本の元表紙と思われる。絵は、御大名を前に、正直爺が灰を撒いて花を咲かせるところである。本文では、爺の科白は「さて、ただ今咲かせまするは、桜に霧島、百日紅、山茶花と御目にかけます。はつはつはつ」となっている。挿絵は、話の冒頭の場面。川へ洗濯に行った正直婆は川上から流れてきた子犬を拾うが、川へ洗濯に行った慳貪婆は川上から流れてきた飯櫃を拾う、と対比される。「慳貪」は欲が深いという意味。『図書総目録』では、鳥居清満作・画とするが、根拠は不明。

安珍・清姫

あんちん・きよひめ

このような話は、平安時代の『本朝法華験記』『今昔物語集』に見られる。しかし、室町時代の『道成寺縁起』になっても、安珍・清姫の名は見られない。異本とされる『賢学《けんがく》草子』でも、僧の名は賢学、娘の名は花姫御料人である。結局、二人の名前が揃うのは、寛保二年（一七四二）初演の浅田一鳥・並木宗輔作『道成寺《どうじょうじ》現在《げんざい》蛇鱗《うろこ》』からである。

道成寺では、今も絵解きの説法が行われ、同様の話は各地の伝説にも残っており、「安珍清姫」の名で一つのタイプとされている。

よく似た話は、インド・中国・韓国にも見られ、日本に定着するまでに長い歴史があったと想像される。

①醍醐天皇の御代、奥州から美男の僧が熊野参詣に出て、紀伊国（和歌山県）の真砂《まなご》の清次庄司に宿を取った。夜中に、宿の妻が言い寄ったので、下向の時に立ち寄ろうと言って、早々と出立した。女は明けても暮れても待ちこがれ、旅人に「僧を見かけなかったか」と尋ねると、「すでに先に行っている」との答えだった。

『道成寺縁起』
（道成寺蔵
室町時代）

和歌山県道成寺の鐘巻伝説を描いた絵巻として知られる。画中詞（画面の説明や人物の会話を表す言葉）が人物の側に書き込まれて、僧を追う女が蛇体に変身してゆく様子が巧みである。絵解きに使われたこともあって、構図が大きい。

②僧にだまされたことを知った女は、すごい形相で走り出した。草履も脱げ、裸足になり、髪をなびかせ走った。そのうち、女が吐く息は炎となった。僧は笈《おい》を捨てて、必死で逃げた。

③女は蛇体に変身しながらなおも追いかける。僧は日高川を渡り、道成寺に駆け込んだ。僧が寺の僧たちにひざまずいて助けを求めるので、鐘の中に隠そうということになる。僧は鐘の中に身を隠し、力者三人がそれを運んだ。

④女は、すでに大毒蛇に変わりはて、道成寺にやって来た。僧の隠れている鐘を見つけ、それに巻き付いて竜頭《りゅうず》をくわえ、炎を吐いて焼いた。

⑤大毒蛇の去った後、鐘に水をかけて倒すと、中には炭と化した僧の死体があった。それを見て、僧たちは泣き悲しんだ。

その後、一人の僧の夢に二匹の蛇が現れ、「法華経の写経供養をしてほしい」と願い出た。それを行うと、ある老僧の夢に、二人の天女が現れ、「法華経の功徳で、女は忉利天《とうりてん》に生まれ、僧は兜率天《とそつてん》に生まれ変わることができた」と告げた。

『道成寺絵巻物』（西尾市岩瀬文庫蔵）

『道成寺縁起』の異本で、『賢学草子』系の絵巻。三井寺の僧賢学と遠州（静岡県の一部）橋本の長者の娘の話になっている。上は船に乗って逃げる賢学を追いかけて、大蛇になる姫君。下は、賢学を捕らえ、川底へ引き込もうとする大蛇。

名作昔話絵本選

よく知られ繰り返し絵本がつくられる昔話がある一方で、忘れられかけている昔話がある。ここでは『金太郎』や『一寸法師』などとともに、『猫の草子』『玉の井』などかつて楽しまれた昔話をとりあげる。

『どうようかるた』（著者蔵）
戦後、東京・名古屋の太陽社から発行されたが、発行年は不明。いろは順に並んだ取り札と読み札の2枚1組からなり、それぞれは昔話を題材に構成されている。

金太郎《きんたろう》

金太郎が「鬼どもを粉にしてこまそ」と言って投げる。

金太郎が猪に乗り、蛙・熊・狼・猿・兎を従える。

『金太郎』
（国立国会図書館蔵
『絵本あつめ草』所収　江戸時代）
『絵本あつめ草』には、別に『怪童丸』も収められている。これは、怪童丸が遊ぶ様子を四季で並べている。江戸時代、金太郎より怪童丸の呼び名のほうが古く、また一般的だったと考えられている。

『教科適用幼年唱歌　初編上巻』に入った「キンタロー」の歌でよく知られる。

巌谷小波の『金太郎』によれば、あらすじはこうである。

足柄山の山姥《やまうば》から生まれた金太郎は、幼い時から大の力持ちで、山に棲む熊・鹿・猿・兎と遊んでいた。ある時、金太郎が相撲を取って遊んだ後、大木を引き抜いて橋を架けた。それを見ていた源頼光《らいこう》の家来碓井《うすい》貞光は、山姥と金太郎を訪ね、都に行って武士にならないかと誘った。金太郎は都に行って頼光の家来になった。後に大江山の鬼を退治し、土蜘蛛《つちぐも》を討ち取った坂田金時とは、この金太郎のことだった。

現在の研究では、この話を昔話の中に入れて考えない。長く教科書にも取り上げられてきた話であった。

『金太郎一代記』
（国立国会図書館蔵
明治13年＝1880刊）

東京の宮田幸助が発行した小本型の絵本。足柄山の山姥が赤い竜と契ると夢に見て産んだのが怪力を持つ金太郎であった。源頼光が見出し、金太郎は名を坂田金時と改めて軍功を重ねた。絵は、金太郎が蟒蛇（うわばみ）の口に手をかけて引き裂くと、たちまち雷が落ちてきたので、それを押さえつけた場面。

一幽斎重宣画『金太郎山狩』
（国立国会図書館蔵）

錦絵。全身が赤く、「金」の腹掛けを着け、鉞を持って、熊に乗るという、金太郎の典型的なイメージを図像化している。こうしたイメージは、江戸時代の通俗史書『前太平記』に見えるように、金太郎が山姥と雷神との間に生まれたと考えると説明しやすい。

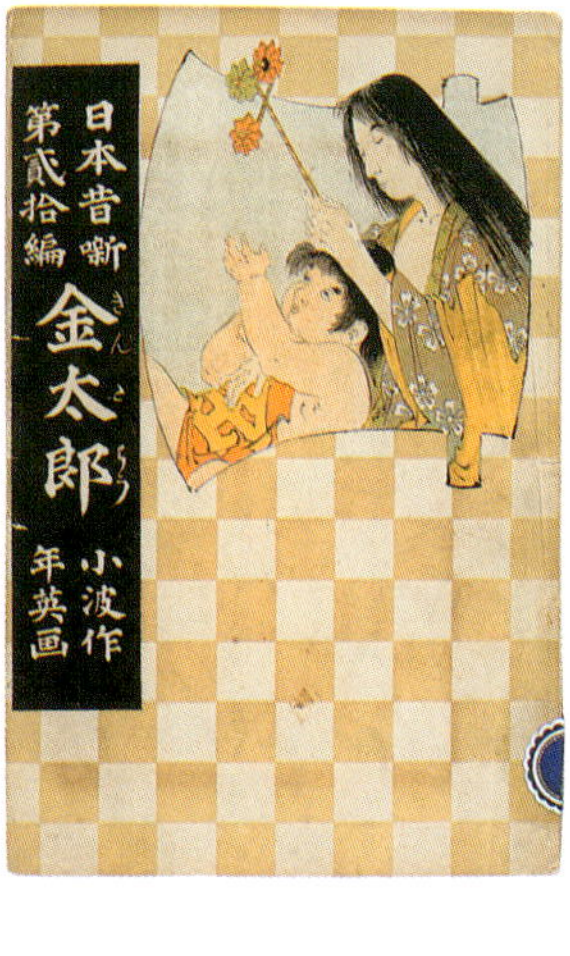

巌谷小波述『金太郎』
（東京学芸大学
附属図書館蔵
明治29年＝1896刊）

東京の博文館が発行していた日本昔噺シリーズの第20編。大江（巌谷）小波述、東屋西丸記、右田年英画。表紙は、山姥に抱かれ、風車であやされる金太郎を描く。

一寸法師《いっすんぼうし》

『小男の草子』
（高安六郎旧蔵　室町時代
戦災により焼失）

身長1尺の小男が奉公を志して、都に上る。ある時、清水寺に参詣する高貴な女性を見初め、恋文を贈って契りを結び、幸福な日々を送った。その後、小男は五条の天神、女性は道祖神と顕れ、恋する人の守り神となる。この話は、『一寸法師』に先立つ作品と考えられている。絵は、小男が会下傘（えげがさ）を担いで、宿の女性と清水寺へ行く場面。

巖谷小波述『一寸法師』
（東京学芸大学図書館蔵
明治29年=1896刊）

東京の博文館が発行していた日本昔噺シリーズの第19編。大江（巖谷）小波述、東屋西丸記、小林清親画。一寸法師が姫君を妻にしようとする計略はなく、清水寺に参詣に行って鬼に襲われたとしている。

江戸時代に出版された渋川版の『一寸法師』では、次のような話になっている。

翁と媼が住吉明神に祈って男の子をもうけ、一寸法師と名づけた。だが、一向に成長せず、追い出そうとした。そこで一寸法師は御器《ごき》を船にして都に向かい、宰相殿に雇われる。その姫君を妻にしたいと思い、姫君が大切な米粒を食べたと偽って騒いだ。宰相殿は娘を怒り、一寸法師を付き添わせて島流しにした。二人が島に着くと鬼が現れるが、一寸法師が退治して打出の小槌を奪い、自らの背を高くした。都に戻ると、内裏に迎えられ、堀河の少将となって栄えた。

柳田国男はこのような異常誕生した主人公を「小さ子」と呼んでいる。実際、一寸法師以外にも、足の臑《すね》から生まれたスネコタンパコ、指の腹から生まれた指太郎など、みなこの

『一寸法師』
（財団法人東洋文庫所蔵
江戸時代）
渋川版。

一寸法師がお椀の船に乗って住吉大社の前から漕ぎ出す。

一寸法師が三条の宰相殿の縁先に置かれた足駄の下で名乗る。

一寸法師が姫君を守って鬼を退治する場面、打出の小槌のほかに隠れ蓑と隠れ笠が描かれている。

仲間になる。ヨーロッパにも親指トムの伝承がある。

渋川版には、姫君を妻にしようとする計略があったが、口承の昔話には見られない。鬼が相撲を取るのをからかったとか、鬼が島に鬼退治に出かけたといった語り口になっている。この計略は、子供向けの話にする際に省かれたのだろうと考えられている。

かぐや姫《かぐやひめ》

西条八十の『竹取物語　かぐや姫』によれば、次のような話である。

昔、竹取のお爺さんが竹の中から小さな女の子を見つけた。女の子は三か月で成長し、かぐや姫と名づけられた。車持御子《くらもちのみこ》、大伴御行《みゆき》、石上麻呂が結婚を申し込んだが、かぐや姫は難題を出して断った。やがてかぐや姫は月を見て泣き、月の世界から迎えが来ると告げた。殿様は侍たちに警護をさせるが、天の使いに連れられ昇天する。

平安時代の『竹取物語』を子供向きにしたもので、求婚者は三人にされ、殿様（原話では帝）の影も薄い。

小さ子としての誕生、求婚者に対する難題、羽衣を着た昇天など昔話の要素を持ち、口承の説話から物語化されたと考えられている。

竹取の翁が竹の中から小さな子を発見して持ち帰る。

侍が警護するが、迎えに来た天人に連れられて、かぐや姫が昇天する。

『かぐや姫』
（講談社提供
昭和14年＝1939刊）
西条八十文／織田観潮絵。戦前に出た講談社の絵本。表紙は昇天する時のかぐや姫を描く。復刻され、文章を新たにしたものが刊行されている。

『竹取物語』
（東京大学国文学研究室蔵
江戸時代）
土佐広通（住吉如慶）・土佐広澄（住吉具慶）画、詞書は曼珠院宮筆。慶安3年＝1650の奥書がある。

中将姫《ちゅうじょうひめ》

巌谷小波述『雲雀山《ひばりやま》』によれば、こんな話である。

昔々、右大臣豊成公が長谷《はせ》の観音に参って女子をもうけ、長谷姫と呼んだ。豊成公は妻を亡くし、照夜の前を迎えた。この継母は姫を憎み、毒の酒を盛ったが、実子豊寿丸《ほうじゅまる》を殺してしまう。長谷姫は天子様の病気を和歌で快復させ、位をもらって中将姫と呼ばれた。継母は家臣《けらい》の嘉藤《かとう》太《だ》に姫を雲雀山で殺害させようとしたが、嘉藤太は夫婦で山中の家に住んで世話をした。その後、豊成公は狩りの途中、茅屋《あばらや》に住む娘と再会。姫を連れて帰ると、照夜の前は逃げ出した。姫は後に曼荼羅《まんだら》を織った。めでたしめでたし。

この話では、当麻《たいま》曼荼羅作成に一言触れるだけで、姫が仏道に帰依し、当麻寺で出家、往生を遂げたという展開は省かれている。伝説としては奈良県を中心に伝わっている。

中将姫が3歳のとき、母の北の御方が夫と姫君に遺言を残して急死する。

継母に命じられた武士が雲雀山に行き、中将姫の首を切ろうとする。

中将姫が出家をとげる。

天人のような女房が曼荼羅を織り、化尼と禅尼（出家した中将姫の法名）の前に置く。

『中将姫』（実践女子大学図書館蔵　江戸時代）
奈良絵本。

巌谷小波述
『雲雀山』
（東京学芸大学附属図書館蔵
明治29年＝1896刊）
東京の博文館が発行していた日本昔噺シリーズの第21編。大江（巌谷）小波述、東屋西丸記、玉桂女史画。表紙は蓮の葉にくるまれた中将姫を描く。

文福茶釜《ぶんぶくちゃがま》

巌谷小波述『文福茶釜』によれば、こんな話である。

上野国（群馬県）館林《たてばやし》の茂林寺《もりんじ》の和尚は茶の湯が好きで、茶釜を買った。

しかし、それは狸が化けたものだったので、屑屋に売ってしまった。屑屋は茶釜の狸と相談し、その芸を見世物にすると、たちまち評判になり、大層な利益を得た。この男は欲もなかったので、儲けた金の半分を茶釜に付けて茂林寺に納めた。

この話は、江戸時代の赤本や滝沢馬琴の『燕石《えんせき》雑志《ざっし》』に見られる。しかし、口承の昔話から考えると、元々は狐の恩返しをテーマにした話だったが、狸に変化して笑い話化したのではないかと推定されている。「ぶんぶく」は茶釜の湯が煮えたぎる音に由来するという。

巌谷小波述『文福茶釜』
（東京学芸大学附属図書館蔵　明治28年＝1895刊）

東京の博文館が発行していた日本昔噺シリーズの第12編。大江（巌谷）小波述、東屋西丸記、鈴木華邨画。

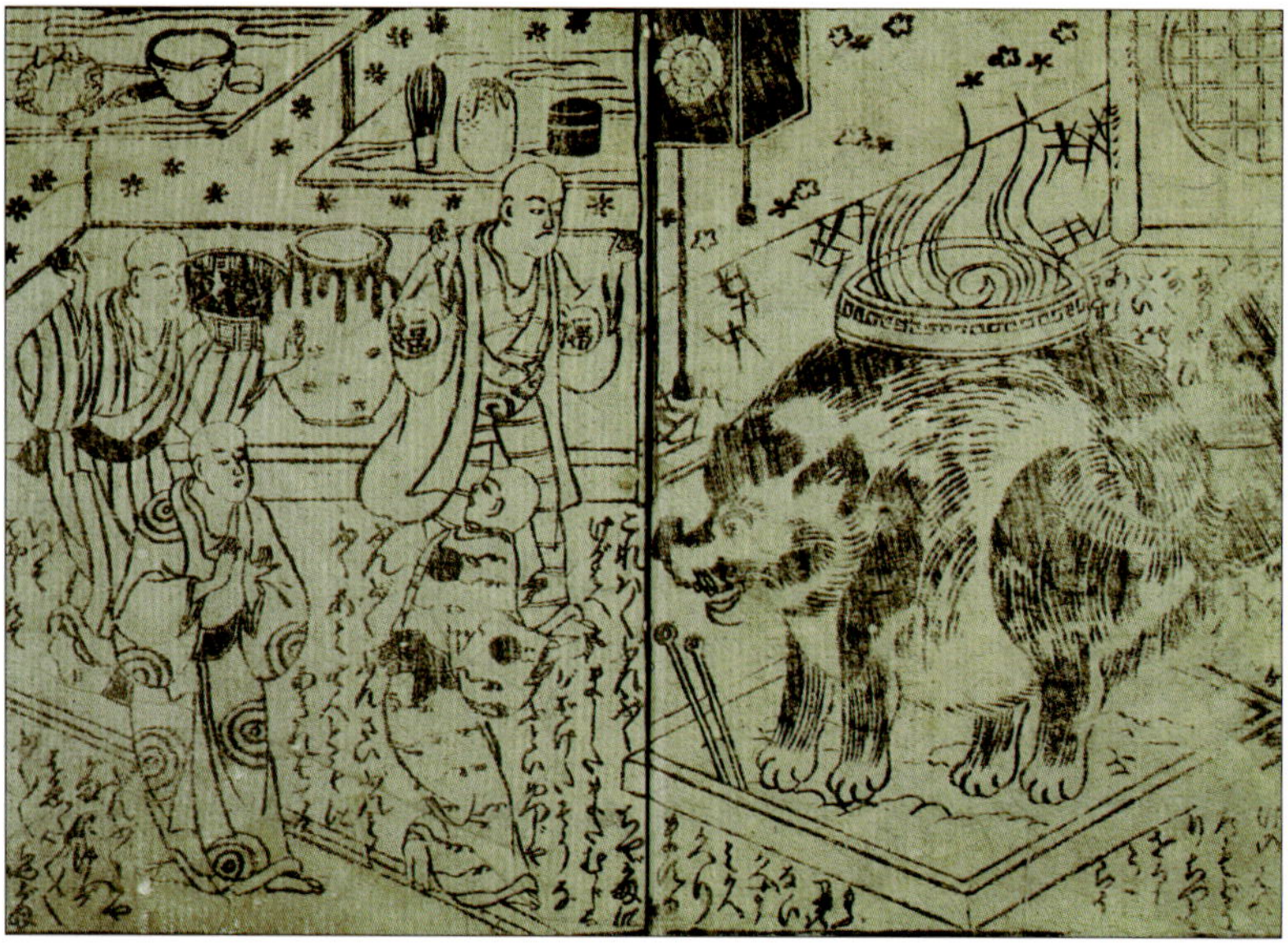

『ぶんぶく茶釜』
（国立国会図書館蔵　江戸時代）

赤本。東山殿（足利義政）の茶道坊主ぶん福が山へ行き、狸を縛り上げて持ち帰る。4人の坊主に料理されそうになった狸は逃げて、茶釜に化ける。4人がこの茶釜で湯を沸かすと、正体を顕わす。東山殿が化かされた4人を裸にして追い出すと、狸は夜具として八畳敷の睾丸を被せる。結局、4人は狸を捕らえて褒美を戴いた。

月岡芳年画『新形三十六怪撰　茂林寺の文福茶釜』
（国立国会図書館蔵　明治25年＝1892刊）

佐々木豊吉が出した錦絵。昔話には、和尚が居眠りをした時に、狸が化けた茶釜が頭や手足・尻尾を出す場面があるが、この絵はそれをもじって、狸が和尚に化けて居眠りをする。

ミット・フォルド著／上田貞次郎訳『英和対訳日本昔噺』
（著者蔵　明治35年＝1902刊）

英文タイトルは「The Accomplished and Lucky Tea-Kettle」、日本文は「DEKIAGATTARU SAIWAI NARU CHAGAMA」。これも茂林寺の伝説になっているが、僧が茶釜を売ったのは鋳掛屋になっている。

『ぶんぶくちや釜』
（国立国会図書館蔵
明治13年＝1880刊）

東京の宮田幸助が発行した小本型の絵本。竹内栄久画。これも茂林寺の伝説になっている。文福茶釜は歌を歌い、鳴物に連れて踊り、綱渡りをするので、古金買いが見世物に出すと、評判になって大繁盛したという場面。結末は、茂林寺の宝物となった茶釜が文福大明神とまつられ、参詣の人々を集めたとなっている。

牛若丸《うしわかまる》

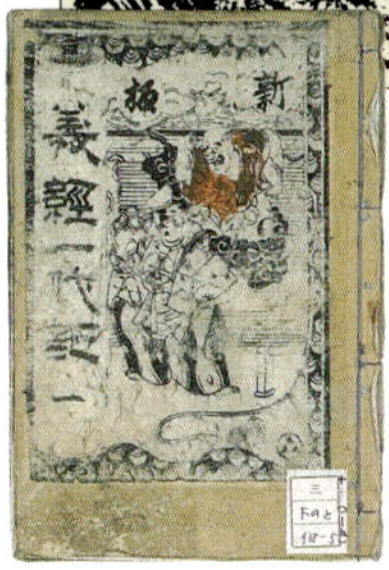

『新板義経一代記』
（財団法人東洋文庫蔵　江戸時代）
黒本・青本。鞍馬山の僧正が谷で、牛若丸が天狗の僧正坊の眷属と剣術の稽古をする。牛若丸の賢さを知った僧正坊は、兵法の奥義を残らず教えた。

『義経記』
（財団法人黒船館蔵　江戸時代）
丹緑本。鞍馬山の奥、僧正が谷へ入った牛若丸は、夜になると、貴船明神に参詣した後、四方の草木を平家一門に見立て、2本の大木を清盛と重盛と名づけて切り倒していた。

巌谷小波述の日本昔噺『牛若丸』によれば、こんな話である。

　昔々、源義朝が亡くなった後、妻の常磐《ときわ》御前は牛若丸と今若・乙若を連れて隠れていたが、母の関屋が平家から虐待されるのを聞いて名乗り出た。牛若丸は鞍馬山の東光坊に預けられるが、平家討伐を企んで剣術の稽古をしていると、大天狗が現れて秘術を教えてくれた。その頃、比叡山に武蔵坊弁慶という強い坊主がいた。太刀を一〇〇〇本奪《と》ろうと思い立ち、毎晩、五条の橋に来て人を殺していた。そのことを聞いた牛若丸は、そこへ行って戦い、押えつけた。弁慶は牛若丸に降参し、臣下《けらい》になった。二人は藤原秀衡を味方に入れるために奥州へ向かう。途中、熱田の宮に参詣し、牛若丸は源九郎義経と名乗った。秀衡は二人を大事にし、義経の兄の頼朝が旗揚げすると加勢した。めでたしめでたし。

『じぞり弁慶』
（西尾市岩瀬文庫蔵
江戸時代）
寛文頃（1661～73）の書写と思われる奈良絵本。弁慶を主人公にした物語であるが、同じ内容の伝本は他に見つかっていない。

熊野の別当の妻が3年3月を経て生んだ男の子は、髪が黒く、歯が生え揃い、筋骨たくましく、すぐに起きあがって四方を見まわすほどだった。

若一と呼ばれたこの子は、比叡山の僧正寛慶の弟子となるが、悪行の限りを尽くすので、衆徒たちに睨まれ、師匠に疎まれ、下山することになり、途中、千手院から流れ出る清水に姿を映して、自ら髪を剃って出家する。

武蔵坊弁慶と名乗り、諸国修行をする途中、都に往来の人を襲う小冠者がいるという噂を聞いて京に上り、五条の橋で牛若丸と対決する。

岡本帰一『ベンケイ』
（『コドモノクニ』
昭和3＝1928年10月）
京の五条の橋の上の対決。唱歌の「牛若丸」（『尋常小学唱歌　第一学年用』）で知られていたので、本文には「キヤウノ　ゴデウノ／ハシノウヘ………ノ／シヤウカ　ヲ　ウタツテ／クダサイ」とある。

羅生門《らしょうもん》

巌谷小波述『羅生門』によれば、次のような話である。

昔々、京の九条の羅生門に鬼が出て、通りがかりの者を取って食うという評判になった。四天王と一人武者が集まって酒を飲み、その話題になった。そこから渡辺綱が羅生門に行き、鬼の腕を切り落とし、それを持ち帰って箱に入れておいた。ある晩、老婆が乳母だと言って訪ねてきて、鬼の腕を見せてほしいと頼んだ。その腕を見せると取り返し、天井を破って逃げていった。それから鬼は再び京の町へ出なかった。

『羅しやう門』
（東洋大学附属図書館蔵　江戸時代）
奈良絵本。渡辺綱が羅生門の鬼の腕を膝丸という太刀で切り落とすが、雷電が落ちかかり奪い去られる。次に、綱が髭切という太刀で牛鬼の腕を再び切り、都へ持ち帰ると、牛鬼は頼光の母に化けて来て奪い返すが、頼光に首を切られたという話となっている。絵は、牛鬼と頼光が対決する場面。

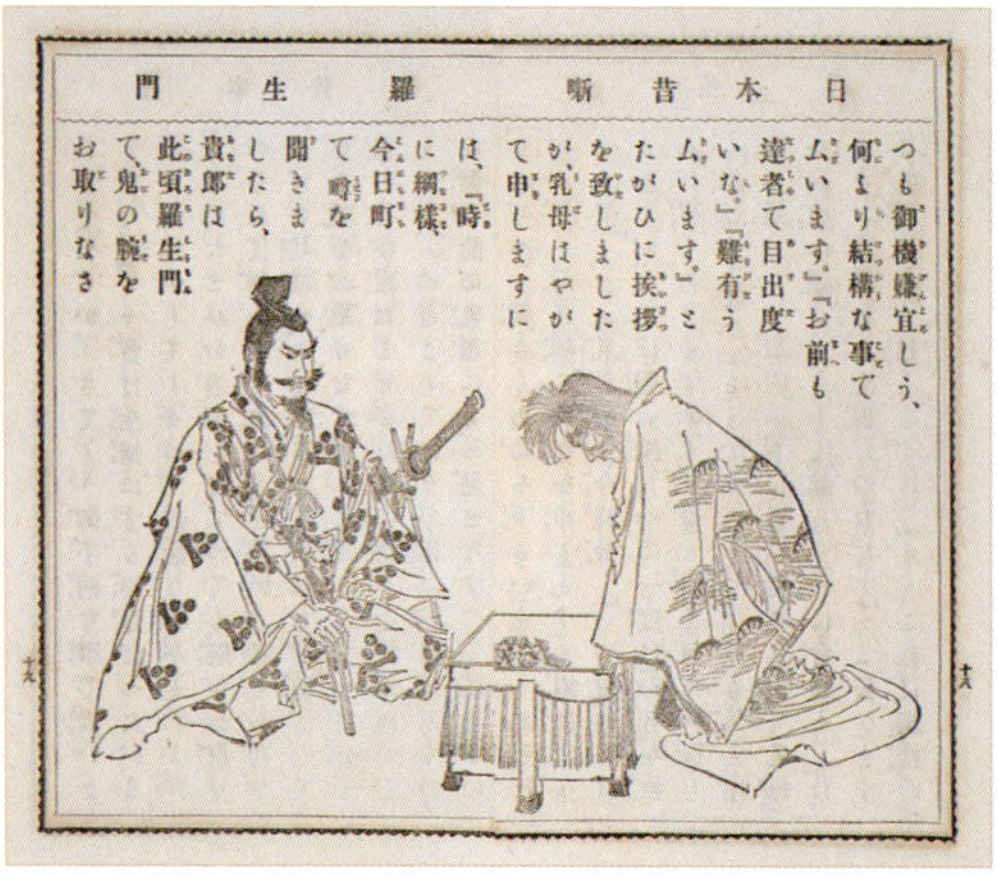

巌谷小波述『羅生門』
（東京学芸大学附属図書館蔵
明治28年＝1895刊）
東京の博文館が発行していた日本昔噺シリーズの第15編。大江（巌谷）小波述、東屋西丸記、筒井年峰画。御伽草子に見られる名剣の記述や、雷電が落ちて鬼が自分の腕を奪い返す条は見られない。表紙は、鬼の右腕を取った渡辺綱、挿絵は綱が見せた鬼の腕を、老婆に化けた鬼がのぞき込むところ。

安達が原《あだちがはら》

巌谷小波述『安達が原』によれば、次のような話である。

昔々、奥州安達が原に鬼婆が住んで、旅人を取って食うという評判が立った。ある日、旅僧が宿を求めると、老婆が泊めてくれた。囲炉裏の焚材《たきざい》がなくなり、老婆は奥をのぞいてはいけないと戒めて、薪を拾いに行った。旅僧が奥をのぞくと、そこには人間の食いかけが山のようにあったので、逃げ出した。老婆が後を追ってきたが、夜が明けて助かった。めでたしめでたし。

謡曲の『黒塚』（観世流では『安達原』）や御伽草子の『安達原』で知られた伝説で、浄瑠璃や歌舞伎にもなった。昔話そのものとは言えないが、逃走譚は共通する。

月岡芳年画『奥州安達がはらひとつ家の図』
（国立国会図書館蔵　明治18年＝1885刊）
明治政府により、風紀を乱すとして発禁処分になった錦絵。安倍貞任・宗任の母岩手が環の宮の病気を治すために、身重の恋絹を殺して胎児を奪おうとする場面を描く。近松半二・北窓後一・竹本三郎兵衛・竹田和泉合作の浄瑠璃『奥州安達原』による。

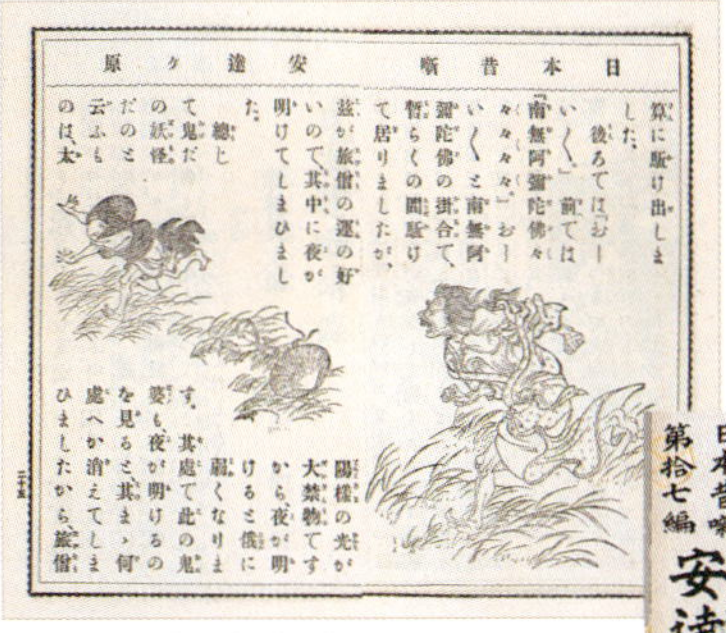

日本昔噺　安達ヶ原

算に駈け出しました。

後ろでは「おーい〳〵」前では「南無阿彌陀佛々々々々々々」「おーい〳〵」「南無阿彌陀佛」の掛合で、暫らくの間駈けて居りましたが、茲が旅僧の運の好いので、其中に夜が明けてしまひました。

總じて鬼だの妖怪だのと云ふものは、太陽樣の光が大禁物ですから、夜が明けると俄に弱くなります。其處で此の鬼婆も、夜が明けるのを見ると、其まゝ何處へか消えてしまひましたから、旅僧

巌谷小波述『安達が原』
（東京学芸大学附属図書館蔵
明治29年＝1896刊）
東京の博文館が発行していた日本昔噺シリーズの第17編。大江（巌谷）小波述、東屋西丸記、小堀鞆音画。

俵藤太《たわらのとうだ》

巌谷小波述の日本昔噺『俵藤太』によれば、こんな話である。

昔々、俵藤太秀郷《ひでさと》は、瀬田の唐橋の大蛇の背中を跨ぐと、後ろに男が立っていた。男は竜神で、三上山の百足《むかで》に仇討ちをしたいと頼む。竜神に連れられて琵琶湖の底の竜宮に行き、現れた百足を矢で射る。竜神は御礼に俵・帛《きぬ》・釜・鐘の四品をくれた。以来、米・帛は尽きることがなく、薪はなくても物が煮え、富貴になったので、俵藤太と言い囃された。鐘は、三井寺《みいでら》へ奉納した。

秀郷には、もう一つおもしろい話がある。平将門《まさかど》が謀反を企てたときに訪ねて行き、一緒に飯を食べると、将門は茶碗から飯粒をこぼすような人だった。その後、秀郷は将門を一矢で射殺した。めでたしめでたし。

『太平記』や『源平盛衰記』から作られた御伽草子『俵藤太』が知られる。御伽草子では、後半の将門討伐も詳しいが、明治時代以降の絵本は百足退治が中心である。「俵藤太」は伝説として、日本各地に残る。

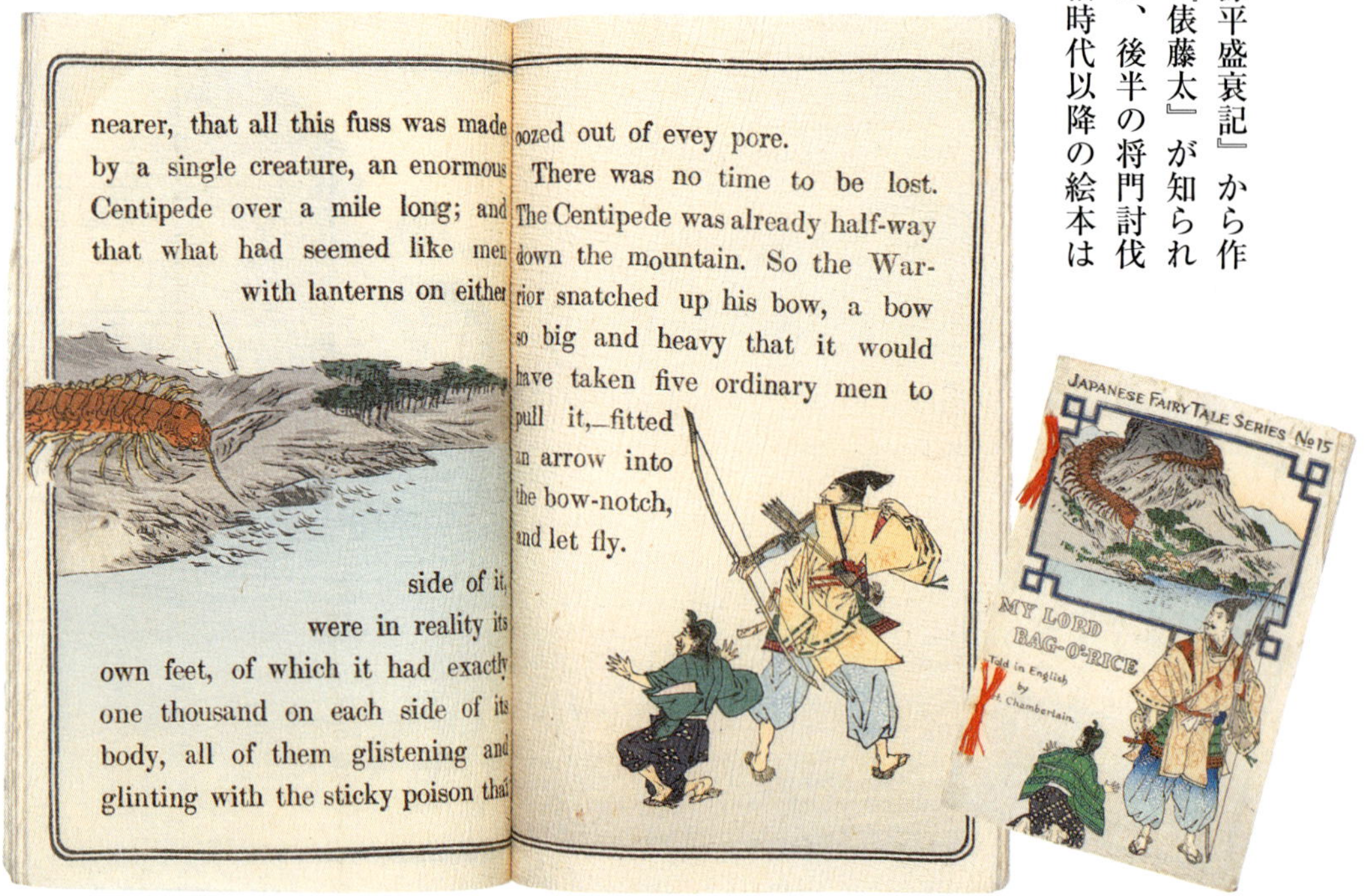

『MY LORD BAG-O'-RICE（俵藤太）』
（虎頭惠美子氏蔵　明治20年＝1887刊）
東京の長谷川武次郎が発行者となっている英語版チリメン本Japanese Fairy Tale Series（日本昔噺シリーズ）の第15号。訳はチェンバレン、画は鈴木華邨。クリスマスや正月の進物用にされたのではないかという推定がある。表紙と挿絵は俵藤太が百足退治をするところ。

朱雀院の御代、近江国（滋賀県）の勢田の橋に大蛇が横たわり伏せて人々を悩ましたが、俵藤太秀郷がその背中を踏んで通った。

俵藤太秀郷が、琵琶湖の大蛇が化身した女に頼まれ、三上山の百足の化け物に矢を射て退治する。

俵藤太秀郷は平将門の機嫌をとって、その館に起居した。将門の愛人小宰相を見そめて契るが、そこに通う将門の姿は7人に見えた。6人は影武者だったのである。小宰相から本物の将門は灯火に向かうときには影が映り、身体は黄金だが、こめかみは肉体だと聞き、見事に射殺した。

『俵藤太物語絵巻』
（栃木県立博物館蔵）
学習院大学日本語日本文学科研究室蔵の『俵藤太』などと同系統と思われる絵巻。

猿の生き肝《さるのいきぎも》

巖谷小波述の日本昔噺『猿と海月《くらげ》』によれば、こんな話である。

昔々、竜王が結婚したが、花嫁が病気になってしまった。章魚《たこ》に尋ねると、猿の生き肝が効験《ききめ》があると言うので、海月を使者に立てた。海月は猿が島に行き、猿にお世辞を言ってだまし、背に乗せて竜宮へ向かうが、途中、生き肝を取りに来たのだと口がすべってしまう。それを聞いた猿は、生き肝は木の上に置いてきたので、戻ってくれと頼む。猿が島に引き返すと、猿は木に登り、海月は仕方なく竜宮に帰る。しかし、竜王の怒りを買って、骨を抜かれてしまう。めでたしめでたし。

この話は結末から、「海月骨無し」とも呼ばれる。古く仏典に見られ、『今昔物語集』『沙石集』にも取られ、江戸時代にも広く流布した。口承の昔話としても、日本全国に分布するだけでなく、世界に類話がある。

『THE SILLY JELLY-FISH（海月）』
（虎頭恵美子氏蔵　明治20年＝1887刊）
東京の弘文社が発行していた英語版チリメン本Japanese Fairy Tale Series（日本昔噺シリーズ）の第13号。訳はチェンバレン、画は川端玉章。これも海月が使者になるタイプの話であり、表紙は猿が海月に乗って竜宮へ向かう場面、挿絵は木の上の猿と海岸の海月がやりとりする様子を描く。

右は、八大竜王の娘乙姫が患い、使者に出された亀が猿を竜宮に誘うと、猿が妻に勧められて承諾する場面。左は、妻たちに見送られ、留守中の妻のことを頼んで、亀の背に乗る猿。

右は、海月の門番に生き肝を取られるはずだと知らされ、助かりたいと思った猿が、生き肝を忘れてきたと偽る場面。左は、猿の言葉を伝え聞いた竜王が、生き肝を取りに帰るように言い渡している。

『猿のいきぎも』
（財団法人東洋文庫蔵　江戸時代）
赤本。これは猿が使者になり、海月は門番になるタイプの話。亀の背に乗って帰った猿が木の上から嘲笑い、口をすべらした海月が骨を抜かれるという後半が欠落している。表紙は元表紙で、猿が桃の枝を持って亀の背に乗るところを描く。

猫の草子

ねこのそうし

『ねこのさうし』
（財団法人東洋文庫蔵
江戸時代）
渋川版。

京の一条の辻（京都市上京区）に高札が立ち、猫が自由に出歩く。

僧の夢に虎毛の猫が現れて、猫は虎の子孫であるなどと由緒正しいことを語る。

『猫の草子』
（東京大学国文学研究室蔵
江戸時代）
錯簡があるが、唯一の奈良絵本で、5つの挿絵が入る。猫が高札に集まるところと、僧の枕元に鼠が来て訴えるところを描く。

鼠たちが集まって、冬の間は近江の百姓の家の下に妻子をかくまい、暖かくなったら、近くの山に食べ物を捜しに行こうと相談する。

江戸時代に出版された渋川版『猫の草子』は、次のような話である。

慶長七年（一六〇二）、洛中に、猫の綱を解いて放ち飼いにすべき旨の高札が立った。猫は喜んで外出し、鼠を捕るようになったので、鼠は恐れて逃げ隠れた。ある夜、上京《かみぎょう》に住む僧の夢に鼠の和尚が現れ、窮状を訴えた。次の夜には、猫が夢に現れて喜びを語った。その暁の夢には、鼠が現れ、近江国（滋賀県）に避難することになったと告げた。

この物語は慶長七年以降に成立したことがはっきりしている。巌谷小波が日本昔噺に入れるなどしたが、口承の昔話で語られた形跡はない。

鼠の嫁入り《ねずみのよめいり》

巌谷小波述の『鼠の嫁入』では、次のような話になっている。

昔々、有福家《ものもち》の鼠夫婦にお忠という娘があった。世界中で一番えらい者に嫁入りさせたいと考え、父の忠兵衛はお月様に頼みに行ったが、「雲が邪魔をする」と言う。雲に行くと、「風に吹き飛ばされてしまう」と言う。風の神に行くと、「壁にとおせんぼをされる」と言う。壁の所に行くと、「お前たちにかじられて穴を明けられる」と言う。家に帰った忠兵衛は妻に「鼠が一番えらいのだ」と語り、結局、手代の忠助に遣ることに決め、盛大な婚礼を行った。

鎌倉時代、無住の書いた『沙石集』に見える。口承の昔話では、「土竜《もぐら》の婿入」「鼠の婿選び」などと呼ばれ、日本はもちろん、アジアに広がる話である。

一方、江戸の赤本『鼠のよめ入り』は、見合い、結納、道具送り、嫁入り行列、祝言、出産など婚礼の次第を描いたものであり、同じ題名でも内容が異なる。

『鼠の嫁入』
（財団法人東洋文庫蔵
江戸時代）
黒本・青本。画の鳥居清満は18世紀後半の浮世絵師。弁財天の計らいで、腰元のはつかがふく五郎に嫁入りする。島台の上には鶴亀が並び、「四海波静かにて」という祝言の謡が入る。

『NEDZUMI NO YOME-IRI（鼠嫁入）』
（虎頭恵美子氏蔵　明治18年＝1885刊）
東京の弘文社が発行していた英語版平紙本Japanese Fairy Tale Series（日本昔噺シリーズ）の第6号。訳述はダビッド・タムソン、画は鮮斎永濯という。内題は「THE Mouse's Wedding」。江戸時代の赤本の系統を引く話で、子供向きに婚礼の次第を説いている。

巌谷小波述
『鼠の嫁入』
（東京学芸大学
附属図書館蔵
明治29年＝1896刊）
東京の博文館が発行していた日本昔噺シリーズの第24編で、これが最後になった。大江（巌谷）小波述、東屋西丸記、川端玉章画。

玉の井《たまのい》

巌谷小波述『玉の井』によれば、次のような筋である。

弟の彦《ひこ》火《ほ》々《ほ》出見尊《でみのみこと》（山幸彦）と兄の彦火闌降尊《ひこほのすそりのみこと》（海幸彦）が弓矢と釣竿を交換したが、弟は兄の釣針をなくしてしまい、兄は弟を許さなかった。弟が針を捜しに行くが、見つからない。そこに、塩土翁《しおつちのおきな》が現れて無目籠《めなしかご》を用意してくれた。

籠に乗って竜宮に着くと、豊玉姫と玉依姫《たまよりひめ》の姉妹が桂の木の下の玉の井に水を汲みに来た。二人が事情を聞いて、父の竜神のところに案内し、竜神はおおいに歓待する。そして針を捜したところ、針は鯛の大膳ののどにかかっていた。

三年が過ぎたので、竜神に暇乞いをして、潮を呼ぶ満珠と潮を収める干珠をもらい、大鰐に乗って帰った。兄に針を返したが、殺害を謀ったので、満珠と干珠を使って困らせると、兄は謝罪し、弟を日本の君と崇めためでたしめでたし。

これは『古事記』『日本書紀』の神話に取材した話で、御伽草子の『彦火々出見尊絵詞』にもなるが、むしろ、謡曲の『玉の井』からの影響が大きい。

巌谷小波述『玉の井』
（東京学芸大学附属図書館蔵　明治28年＝1895刊）
東京の博文館が発行していた日本昔噺シリーズの第2編。大江（巌谷）小波述、東屋西丸記、小林永興画。表紙は彦火々出見尊と豊玉姫・玉依姫、挿絵は彼らと竜神夫妻の前で、目張（めばる）の判官が鯛の大膳の針を抜く場面を描く。この話は、子供向けに書かれたためか、彦火々出見尊と豊玉姫が結婚し、海岸の産屋で子供（後の神武天皇）を出産したという条を欠く。

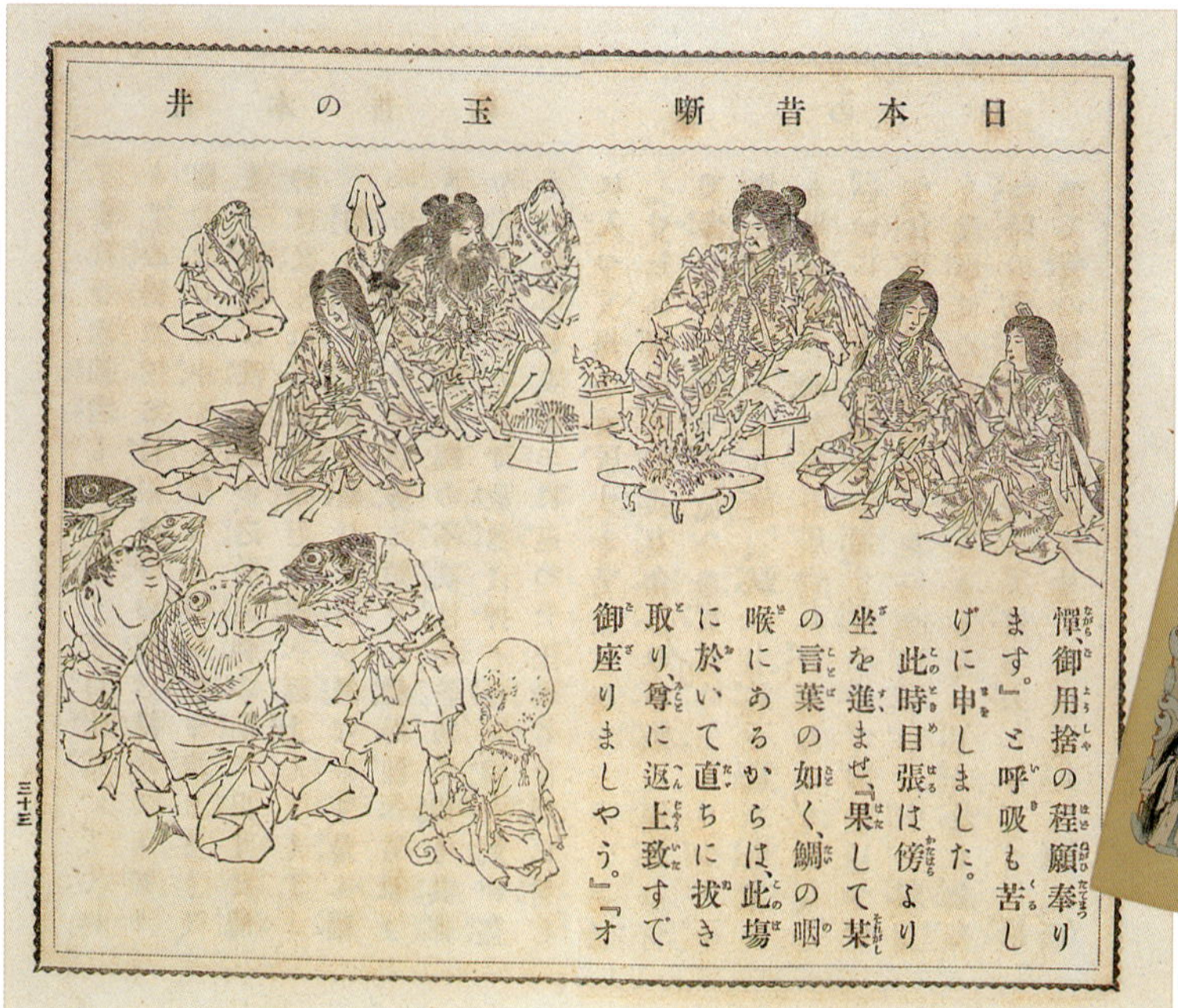

ほほでみの尊が花の咲いた斎つの木（神聖な木）に立ち寄ると銀の井があり、豊玉姫とたまゆり姫が金の釣瓶桶を持って水を汲みに来た。

兄のすそりの尊と弟のほほでみの尊が釣りに行き、弟が満珠の玉を沈めると、兄のいる岩に潮が満ちてくるが、弟は干珠の玉を持っているので、水が近づかない。絵では、2つの玉が逆になっている。

五丈の鰐にほほでみの尊を乗せ、竜神が針を掲げ、豊玉姫とたまゆり姫が満珠の玉と干珠の玉を持って送る。

ほほでみの尊と豊玉姫の間に、鵜のはふきあわせずの尊（後の神武天皇）が生まれた。子供は、左下のめのとに抱かれている。

『かみよ物語』
（西尾市岩瀬文庫蔵
江戸時代）

『彦火々出見尊絵詞』（小浜明通寺蔵）の異本に当たる。絵図の手法から近世初期の書写と推定され、彩色が強く、人物が木目込み人形のように描かれているとの指摘がある。

百合若大臣

ゆりわかだいじん

菊池寛編『日本童話集　下』によれば、次のような話である。

昔、公光《きんみつ》の左大臣の子百合若は、西国から敵が攻めてきたとき、大軍を構えて追い払った。筑紫《つくし》（福岡県）の国司に任じられ、軍船を従えて西国を征伐したが、帰途、無人島に上がって眠った際に、別府兄弟に置き去りにされてしまう。兄弟は百合若は死んだと偽り、筑紫の国司になる。緑丸という鷹がおむすびを百合若に届け、百合若が歌を書いた柏の葉を奥方に持ってきた。緑丸は奥方の手紙を託されるが、途中で死んでしまい、死骸が百合若のもとへ流れ着く。

その後、壱岐《いき》の船に助けられて戻るが、百合若とは気づかれず、苔丸《こけまる》と呼ばれた。しかし、弓始めの儀式で鉄の弓を引き、別府の次郎の首を切り、三郎を島流しにして、奥方や若君に迎えられた。

壱岐の神官や巫女が伝えた百合若説経があったほか、九州地方を中心に各地に昔話や伝説として残る。

菊池寛編
『日本童話集　下』
（著者蔵
昭和5年＝1930刊）
口絵に入った大橋月皎画「鷹のことづて」。百合若大臣が血で歌を書いた柏の葉を、奥方と若君が受け取る。

『百合若物語絵巻』
（東京国立博物館蔵
江戸時代）
幸若舞曲の『百合若大臣』に取材したと思われる絵巻。百合若の船団がむくりの大軍と戦う場面。

地蔵浄土《じぞうじょうど》

ラフカディオ・ハーンの『THE OLD WOMAN WHO LOST HER DUMPLING』によれば、次のような話である。

昔々、団子作りの好きな婆がいた。土間の穴から落とした団子を追って穴に入り、三つの地蔵に会う。三番目の地蔵の後ろに隠れていると、鬼がやって来た。鬼は婆を連れて川を渡り、飯炊きにした。鬼の不思議なしゃもじで飯をかき混ぜると米粒がどんどん増える。しかし、婆は家に帰りたくなり、しゃもじを腰に着けて逃げ、小舟を漕ぎ出した。鬼たちは婆を追いかけ、川にやって来て水を飲みこむ。婆がしゃもじを振り回しておかしな顔をするので、鬼たちは笑ってしまって水を吐き、川の水は元に戻った。家に帰った婆は、不思議なしゃもじを使って団子を作り、金持ちになった。

このタイプの話は日本全国に見られるが、ハーンの話と似た話は島根県や岡山県から報告されている。

婆が3番目の地蔵の後ろに隠れていると、そこに鬼がやって来た。

婆が小舟を漕いで逃げるので、鬼たちは川の水を飲みはじめる。

They found that their cook was gone, and the magic paddle, too. They ran down to the river at once, and saw the old woman rowing away very fast.

Perhaps they could not swim: at all events they had no boat; and they thought the only way they could catch the funny old woman would be to drink up all the water of the river before she got to the other bank. So they knelt down, and began to drink so fast that before the old woman had got half way over, the water had become quite low.

But the old woman kept on rowing until the water had got so shallow that the *Oni* stopped drinking, and began to wade across.

婆がしゃもじを振り回しておかしな顔をするので、鬼たちは大笑いして川の水を吐き出してしまった。

『THE OLD WOMAN WHO LOST HER DUMPLING』
（遠野市立博物館蔵
明治35年＝1902刊）
東京の弘文社が発行していた英語版チリメン本Japanese Fairy Tale（日本昔噺）の1冊。訳はラフカディオ・ハーン、画は不明。表紙は婆が団子を落とした瞬間を描く。

瘤取り爺《こぶとりじい》

隣の爺型の昔話の一つ。文献では、鎌倉時代の初めの『宇治拾遺物語』に見られる。

右頬に瘤のある爺が山中の木の洞《ほら》穴《あな》に泊まり、鬼の宴会に遭遇した。鬼の前で舞を舞って褒められ、また来るようにと質草として瘤を取られる。それを知って、左頬に瘤のある隣の爺は、自分も瘤を取ってもらおうと同じようにするが、舞が下手で、前の爺の瘤を付けられてしまう。

江戸時代初期の『醒睡笑』にも二話に分かれて入っていて、柳田国男は、こちらのほうが笑い話の原形に近いだろうと考えていた。

この話は、日本だけでなく、アジアからヨーロッパに広く分布する。瘤は、アジアでは顔にあるが、ヨーロッパでは背中に付いている。瘤を取るのも、アジアでは妖怪だが、ヨーロッパでは小人や妖精である。

巌谷小波述『瘤取り』
（東京学芸大学
附属図書館蔵
明治28年＝1895刊）

東京の博文館が発行していた日本昔噺シリーズの第10編。大江（巌谷）小波述、東屋西丸記、山田敬中画。表紙は鬼に瘤を取られた場面を描き、挿絵は両頬に瘤を付けられて「瓢箪の様な顔」になった爺を描く。

『KOBUTORI（瘤取）』
（虎頭惠美子氏蔵　明治19年＝1886刊）

東京の弘文社が発行していた英語版平紙本Japanese Fairy Tale Series（日本昔噺シリーズ）の第7号。内題は「THE OLD MAN & THE DEVILS」。訳はドクトル・ヘボン、画は鮮斎永濯という。ヘボンはアメリカの宣教師で、ヘボン式ローマ字の発明者として有名。木の洞穴に宿る爺のところに、鬼たちがやってきて宴会をしている場面を描く。

昔話の歴史

日本は、中国ほど古くはないにしても、八世紀頃から歴史や文芸の資料がよく残っている国である。奈良時代の『古事記』『日本書紀』『風土記』をはじめ、平安時代の『今昔物語集』、鎌倉時代の『宇治拾遺物語』などに、今日昔話と呼ばれる話と類似するものを見つけることができる。こう言ってよければ、日本は昔話記録の宝庫なのである。

また、ドイツの『グリム童話』からは一世紀後れたが、二〇世紀初頭から、日本各地に伝わる昔話の調査が始まった。柳田国男《やなぎたくにお》の『遠野物語』が端緒を拓き、佐々木喜善《きぜん》はその生涯をかけて昔話採集を進め、日本のグリムと呼ばれた。そうした先人のたゆまぬ努力によって、膨大な伝承が明らかになった。この国はまた、昔話伝承の宝庫でもあったのである。

そうした日本において、昔話絵本にはどのようなものがあり、その周辺の研究はどのように進んできたのだろうか。ここでは、本書の前半で紹介した昔話の数々が置かれていた歴史をあらあらたどってゆきたい。

昔話の歴史と言いながら、ここでは絵本を中心にしたので、その出発点ともいえる室町時代の御伽草子《おとぎぞうし》から話を始めることにしよう。

御伽草子の誕生 ——室町時代

御伽草子の名称

一五、六世紀の室町時代になると、物語が絵画を伴って、広く享受されるようになる。「御伽草子」または「室町物語」（「室町時代物語」ともいう）と呼ばれる一群の短編である。作者はほとんどわからないが、その数は四〇〇編を超える。登場人物が種々の階層に及ぶことから、庶民の間で楽しまれたと言われるが、豪華な装幀であることを考えると、やはり貴族や武家の間で愛好されたものと思われる。

御伽草子という名称は、江戸時代に発行された「御伽文庫」「御伽草子」を拡大解釈したものであり、現在、最も一般的な呼称になっている。「御伽」とは話の相手になって退屈を紛らわすことを言い、そうした際に用いる「草子」と考えられたことによる命名と思われる。

それに対して、御伽草子の享受が、実際には江戸時代初期にまで及び、文学史上の位置づけが曖昧になることから、室町物語という名称が用いられることもある。これは平安物語や鎌倉物語を受け継ぐものとして、物語文学史を考えるうえでは意味のある呼称であるが、まだ十分には普及していない。

かつては「中世小説」と呼んだこともあったが、現在では使う人はほとんどいなくなった。これは近代小説や近世小説からさかのぼった命名であり、近代の価値観を古い時代にまで持ち込むことになるので、避けられるようになったと思われる。

そうした経緯もあって、本書では、最も一般的な御伽草子という言葉を使うことにした。

御伽草子は、鎌倉時代には衰退していた物語が復活してくる現象をよく現していて、そのなかに、現代の昔話と共通する話も含まれている。さらに話を構成するモチーフまで含めて考えるならば、類似する話の数はいちだんと増えることになる。

なお、「草子」「草紙」「双紙」の表記は、特に厳密な区別があるわけではなく、本書も慣用に従って使っている。

絵巻から絵本へ

室町時代には、平安時代末期以来の絵巻が、やはり盛んに作られていた。そのため、御伽草子のなかには、

『鼠の草紙』
（東京国立博物館蔵　室町時代）

絵巻の形態で残るものも少なくない。そのなかには、安珍と清姫の恋物語を記した『道成寺縁起』のように、現在まで絵解きが伝わる場合もある（54〜56頁参照）。寺社の唱導と結びつき、絵解き用に使われた絵巻は、他にもあったかと思われる。

しかし、御伽草子を特徴づけるのは、その呼称にも現れているように、「草子」と呼ばれる綴じた書物にあった。時代の中心は、絵巻から絵本へと変化していたのである。それらは、金泥・銀泥に丹《に》や緑青《ろくしょう》などを使って描いた素朴な画風から、「奈良絵本」と呼ばれることが多い。奈良絵本は、奈良の東大寺や興福寺の絵仏師たちが描いた奈良絵を挿絵にした本という意味である。

こうして草子の形態をもつ絵本が登場すると、それは江戸時代の版本を経て、現代の昔話絵本にまでつながっている。従来、そこまで広げて考えることはしなかったが、御伽草子は昔話絵本のルーツであると言ってよい。そうした見方からすれば、日本での昔話と絵本の結びつきは、六〇〇年くらい前までさかのぼることができる。

昔話との連続と差異

さまざまな絵巻や絵本で伝えられる笑い話に『福富草紙』（『福富長者物語』ともいう）がある。これは、一五世紀半ばには成立していたと考えられる。高向秀武《たかむこのひでたけ》という老人が美しい屁の音で金持ちになるが、隣に住む福《ふく》富織部《とみのおりべ》の妻が妬んで、夫に真似をさせる。ところが、糞を撒き散らして失敗してしまう話である。これは、昔話の「屁ひり爺《じい》」を絵巻化したものである。「昔はまつかう」という結びは、中国・四国地方に伝わる昔話の結末句と類似して

『福富双紙』
（国立国会図書館蔵
文政元年=1818模写）

いる。

　昔話で言えば、『小男の草子』が成立している。これは、一尺の小男が美しい女性を見初める恋物語であり、『一寸法師』に先立つ作品ではないかと考えられている（60頁参照）。

『かくれざと』（東京大学国文学研究室蔵　江戸時代）奈良絵本。昔話「鼠の浄土」と類似のモチーフをもつ。

　こうして小さく生まれた子の物語としては、『瓜姫《うりひめ》物語』が知られている。瓜から生まれた姫が成長し、結婚する際、あまのさぐめに邪魔されるが、あまのさぐめは殺され、姫は幸せになるという話である。これは昔話の「瓜子姫」（「瓜子織姫」ともいう）を絵入り物語にしたもので、西日本に伝わる昔話と共通するところが多い。

　そのほかにも、江戸時代に発行された御伽文庫に入った『浦島太郎』『鉢かづき』『物くさ太郎』『酒呑《しゅてん》童子』などは、みな室町時代には成立していたと考えられている。

　ただし、こうした御伽草子は、今日の昔話の原形を表すばかりではない。むしろ、それ以前の説話集などと比べると、時代的な特徴を帯びている。

　例えば、異界には四方四季の景色があることを語る場合がある。それは、『浦島太郎』の竜宮城にも、『酒呑童子』の鬼の住む鉄の御所にも見える。これは時間と空間を凝縮したもので、『源氏物語』に登場する六条院が古いが、むしろ御伽草子のほうが原形であろう。

　また、本地《ほんじ》物の形式をとることも多い。本地物とは、主人公が死後、神仏に転生するという話型をもつ物語である。『浦島太郎』で、太郎が浦島の明神、亀は夫婦の明神になり、『物くさ太郎』で、太郎がおたがの大明神、妻はあさいの大権現になる場合がそうである。神々の世界につながる構造をとるので、こうした話を「中世神話」と呼ぶこともある。

column

『伊《い》曾《そ》保《ほ》物語』の世界

昔話の多くは外国から輸入されている。そのなかでも、伝来のはっきりしている話にイソップ物語と呼ばれる一群の話がある。イソップ物語は紀元前六世紀頃のギリシャの寓話集であり、動物の言動を比喩にして、人間の行うべき教訓を語っている。

日本で翻訳されたイソップ物語には、ローマ字で書かれた天草本と、国字で書かれた国字本がある。天草本はカトリックの宣教師が文禄二年（一五九三）、天草耶蘇《やそ》学林で出版したものだが、国字本は室町時代末期以後の成立らしく、江戸時代に仮名草子として流布する。普通、『伊曾保物語』と呼ばれるのは、後者である。そのなかでも最初に挿絵が入るのは、万治二年（一六五九）刊行の整版本からである。

無刊記十一行本『伊曾保物語』下では、「鳩と蟻の事」は、こんな話になっている。

ある河のほとりに、蟻あそぶ事有りけり。俄《にはか》に水かさまさりきて、かの蟻をさそひ流る。浮きぬ沈みぬする所に、鳩木末《こずゑ》より是を見て、「あはれなるありさまかな」と、木末をちと食ひ切つて河の中におとしければ、蟻これに乗つて渚にあがりぬ。かゝりける所に、有る人、竿のさきにとりもちを付けて、かの鳩をさゝんとす。蟻心に思ふやう、「たゞ今の恩を送らう（恩ニ報イヨウ）ものを」と思ひ、かの人の足にしつかと食ひつきければ、おびえあがつて（ヒドク驚キ恐レテ）、竿をかしこに投げ捨てけり。其の者の色や知る。しかるに、鳩是をさとりて、いづくともなく飛び去りぬ。

話末には、「そのごとく、人の恩を受けたらん者は、いかさまにもその報ひをせばやと思ふ心ざしを持つべし」とある。恩を受けた者は恩返しをすべきだという教訓である。

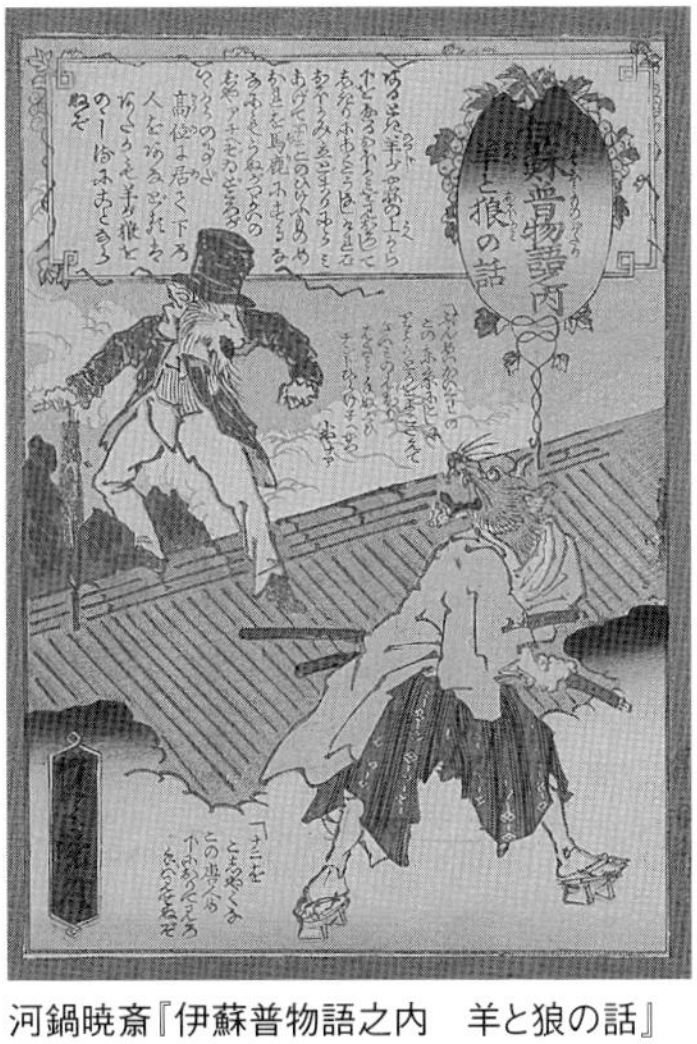

河鍋暁斎『伊蘇普物語之内　羊と狼の話』（河鍋暁斎記念美術館蔵）

万治二年本『伊曾保物語』より「おおかみときつねとの事」（上）と「鳩とありとの事」（財団法人東洋文庫蔵）

昔話の広がり

——江戸時代

渋川版の御伽文庫

江戸時代に入ると、絵本の楽しみ方は新しい段階を迎える。版本が作られ、それまでの貴族・武家・僧侶ばかりでなく、町人を中心にした一般庶民が、古典作品や新たに書かれた作品を読むことが可能になった。

昔話との関わりで言えば、渋川版の御伽文庫の刊行が果たした役割は大きい。これは、享保一四年（一七二九）頃までに、大坂の書肆《しょし》渋川清右衛門が二三編三九冊（または二三冊）の御伽草子を箱入りで刊行したシリーズである。奈良絵本に似せて作った絵入りの横本であり、広告に「御伽文庫」「御伽草子」の名称が見えることから、こう呼ばれる。

『蛤の草子』
（財団法人東洋文庫蔵　江戸時代）　渋川版。

最近の研究では、一七世紀後半に京都で刊行されたと思われる本が見つかっている。これらは、挿絵に丹と緑を多用した、いわゆる丹緑本《たんろくぼん》である。その形態から見て、御伽文庫と同一の版木を使ったことが明らかであり、御伽文庫は後印本ということになる。

収録された二三編には、『浦島太郎』『鉢かづき』『物くさ太郎』『酒呑童子』など昔話と共通の物語や説話が含まれている。『一寸法師』はそれ以前の伝本がなく、これだけが存在する。『猫の草子』の場合は、その内容から、慶長七年（一六〇二）以後の成立であることがはっきりしている。

その内容は、中世以来の特徴を残しつつ、『浦島太郎』は「めでたかりけるためしなり」、『物くさ太郎』は「めでたき事なかなか申すもおろかなり」のように結ぶ。昔話は、主人公の幸福を語るところに主題があったことが明確である。

日本は古くからの文献がよく残った国であるが、昔話の起源はわからないことが多い。そうしたなかで御伽文庫は、昔話を時代の表舞台に出し、大衆化する役割を担っていたことになる。江戸時代後期には、これらに類した作品も御伽草子と呼ばれたらしく、明治時代以降もこの呼称が用いられているのである。

『枯木花さかせ親仁』
（財団法人東洋文庫蔵　江戸時代）

赤本に描かれた昔話

江戸時代の中頃から末期にかけて、草双紙《くさぞうし》と呼ばれる絵入りの大衆読み物が流行する。なかでも、その初期にあたる一七世紀の終わりから一八世紀の中頃にかけて、赤本と呼ばれる子供向けの絵本が出されている。表紙が赤く、本文は一〇頁からなる絵本であった。

赤本には『らいこう山入』『はちかづきひめ』のように、御伽草子にあった作品を草双紙化したものも見られる。しかし、それまでの御伽草子には見られなかった昔話が中心になる。『枯木花《かれきに》さかせ親仁《じじ》』『したきれ雀』『ぶんぶく茶釜』『猿のいきぎも』『さるかに合戦』『再板桃太郎昔語《むかしがたり》』『兎大《うさぎのおお》手柄《てがら》』などの作品である。『兎大手柄』は「かちかち山」のことである。こうして赤本に取り上げられてから、これらの話が昔話の主流になってゆくのである。

赤本の題簽《だいせん》（表紙に貼られた紙）には書名と挿絵が入り、『さるかに合戦』の西村重長《しげなが》のように作品の画工名が入る場合もある（33頁参照）。西村は一八世紀中頃の浮世絵師であった。本文は、それまでの御伽文庫などと違って絵画が中心で、その空いた部分に会話を中心とした言葉が入っている。ほとんどが平仮名であり、表記からも子供向けだったことがうかがえる。

『枯木花さかせ親仁』には正直爺と慳貪爺《けんどんじい》が登場するが、それぞれ着物に「正」「け」と入っていて、大名にも「大」と見える。こうした一目でわかる類型化は草双紙の技法であった。同様のことは、『したきれ雀』の新八の「八」、『ぶんぶく茶釜』の茶道坊主ぶん福の「福」、『さるかに合戦』の「猿」「蟹」などにも見られる。

基本的には、許された頁を工夫して使い、昔話のストーリーを追っているが、作品によっては改変があったり、パロディーになっていたりする場合もある。例えば、『したきれ雀』は、弥五太夫が子供に銭を与えて雀を助ける場面があり、雀の見せる踊りが歌舞伎役者瀬川菊之丞の槍踊りをふまえている。

この後、草双紙は黒本・青本へと展開し、一八世紀の後半になると、黄表紙と呼ばれる大人向けの読み物になってゆく。

黒本・青本になると、『かちかち山』（13～16頁参照）

『燕石雑志』より（国立国会図書館蔵）

のように頁数が増えた分、絵画と言葉が細密になる。しかし、次第に改変が大きくなり、昔話をふまえた滑稽化・当世化のパロディーが際立つようになってゆき、ストーリーを忠実に追うことはなくなる傾向が見られる。

『燕石雑志』に始まる昔話考証

一九世紀に入ると、草双紙の収められた昔話などを評価するまなざしが生まれてくる。それは、のちの児童文学や民俗学とは異なるものの、日本における昔話研究の萌芽と言っていいものであった。ちょうどドイツで『グリム童話』の初版が刊行された頃であった。

江戸時代後期の読本《よみほん》作家滝沢馬琴は、文化八年（一八一一）に『燕石雑志《えんせきざつし》』を刊行している。これは考証随筆であるが、「猿蟹合戦」「桃太郎」「舌切雀」「花咲翁《はなさきおきな》」「兎大手柄」「獼猴生肝《さるのなまぎも》」「浦島之子《が》」に言及している。「兎大手柄」が「かちかち山」のことで異なるが、他は現在の話名とだいたい一致する。これらは、当時の代表的な昔話なのだろう。

その記述は、「昔より童蒙《わらはべ》のすなる物語も、おのづから根《もとづ》く所あり。思ひ出《いづ》るままここに注して、窓友の晤譚《ごたん》（学友トノウチトケタ話）に換《か》ふ。おそらくは穿鑿附《せんさくふ》会《わい》の説多かるべし」と始まる。

実際、「猿蟹合戦」では、「按ずるに、唐山《もろこし》の小説などにも、蟹と猴と戦ひしよしは所見なし。蟹と虎と闘ふ事はあり」などとして、昔話の内容や言葉に関連する出典を和漢の資料から博捜するのである。

やや後れて文政一三年（一八三〇）、喜多村信節《きたむらのぶよ》の『嬉遊笑覧《きゆうしょうらん》』にも昔話のことが出てくる。「瓜姫の咄《はなし》」「桃太郎」「舌きり雀」「酒顛童子」「花咲せ爺」を挙げ、その内容や言葉の出典を考証するが、和書の引用がほとんどで、俳諧関係の書物が目立つ。

なお、書かれた時期がはっきりしないが、江戸時代後期の神道家加茂規清《かものりきよ》の著した『雛廼宇計木《ひなのうけぎ》』が知られている。これは、神道の立場から、「勝々山《かちかちやま》」「舌切雀」「猿蟹戦」「浦島太郎」「竹篦太郎《しっぺいたろう》」「花咲老夫」「桃太郎」を論じたものである。

column

『グリム童話』の翻訳

明治維新を迎え、文明開化とともに海外の文物が輸入されるようになると、それに伴って、新たな昔話が日本に入ってきた。世界で広く親しまれた『グリム童話』もいち早く入ってきたらしく、明治中頃には、相次いで翻訳絵本が出ている。

その嚆矢《こうし》が、明治二〇年（一八八七）、東京の弘文社から西洋昔噺の第一号として刊行された『八ツ山羊』である。訳者は広島県士族の呉文聡《くれあやとし》、発行者は東京府平民の長谷川武次郎であった。呉は統計学者であった。話は次のように始まる。

むかし〳〵八ツ《やー》子をもちし牝山羊《めやぎ》ありけり、
ある日市街《まち》に行かんとして子どもらにむかひ、るすのうちはかたく戸をとぢて、たれがきたるともかならずあくることなかれ、皆々おとなしくるすせよ、みやげには、旨《うま》き物をたくさんかふてきて、あたへんとねんごろにいひおゐていでゆきぬ、

この本は随所に挿絵を伴うだけでなく、戸の中に子山羊がいる場面と、狼の腹に子山羊が呑まれた場面の二カ所は、仕掛け絵本になっている。

次いで、明治二二年（一八八九）、家庭叢話第一として『おほかみ』が刊行されている。重訳者は愛知県士族の上田万年《かずとし》、発行者は東京府平民の吉川文七である。末尾には、国語学者の上田らしい「注」があって、本文の読み方を解説している。「重訳」というのは、ドイツ語の原文ではなく、他の外国語からの翻訳であることを示している。

どちらも「狼と七匹の子山羊」の翻訳であり、当時、この話が好まれたことが知られる。

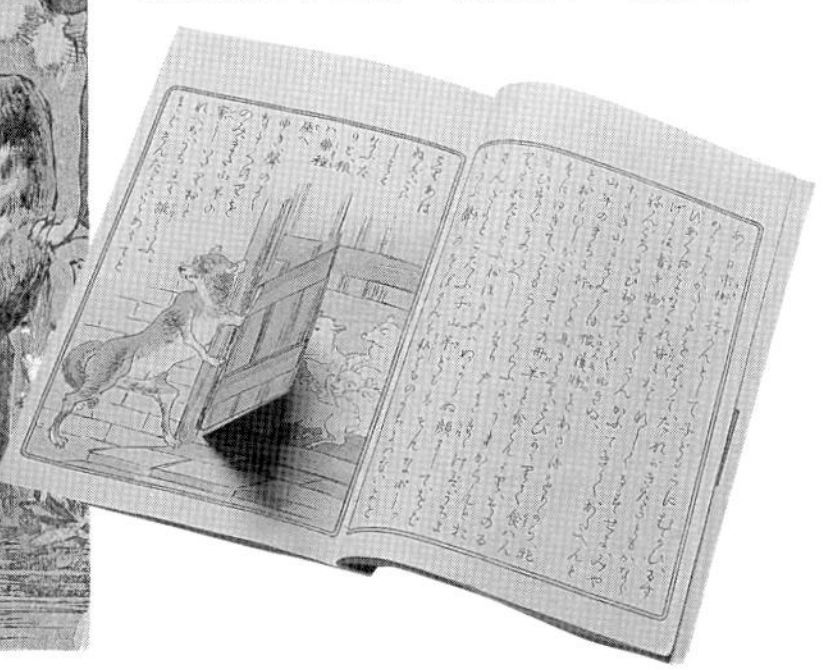

呉文聡訳より『八ツ山羊』
（虎頭恵美子氏蔵　明治20年＝1887刊）

新たなる昔話の展開
——明治時代

昔話絵本の隆盛

『金太郎一代記』
（国立国会図書館蔵　明治13年＝1880刊）
竹内栄久画。

明治維新以後、新たな昔話絵本の時代に入った。それは、江戸時代の赤本に始まる草双紙の形態を引き継ぐものであった。しかし、かつてのような単色ではなく、表紙をはじめとして全体を多色刷にするものが主流になり、型紙を使って彩色をする合羽《かっぱ》版の技法が導入された。

絵本は、その大きさから二種類に分かれる。一つは江戸時代を通して出版された一般的な草双紙の形態を継ぎ、もう一つは江戸時代末期に出版された豆本の形態を継ぐものであった。前者は中本《ちゅうほん》型絵本、後者は小本型絵本と呼ばれ、本文は一二頁程度であった。

現存する最も古い小本型絵本は、明治九年（一八七六）、東京の小森宗次郎が刊行した村井静馬作『文福茶釜』『桃太郎噺《ばなし》』『狐の嫁入』である。その後、明治一三年（一八八〇）に、東京の宮田幸助が、竹内栄久作『花咲ぢゞい』『金太郎一代記』『舌切すゞめ』『ぶんぶく茶釜』『猿かに合戦』『浦島物がたり』を出している。このように、小本型絵本は、江戸時代末期には定着していた五大昔話を中心にした昔話のシリーズとして作られることが多かった。

中本型絵本も昔話を題材にしたが、仇討《あだうち》・軍記・実録などと組み合わせてシリーズにされた。明治一二年（一八七九）、東京の坂田善吉が『したきりすゞめ』『はなさかせぢゞ』『むかし噺桃太郎』『狐のよめいり』

『かちく山仇討』『さるかにかたきうち』を含む一〇冊をシリーズにしている。中本型絵本は小本型のだいたい二倍の価格であった。

　これらの絵本は、明治二〇年代前半まで発行される。特に小本型絵本は明治二〇年（一八八七）前後に爆発的な流行を見せるが、急に姿を消してしまう。その原因は種々考えられるが、機械印刷の普及が大きく影響したのではないかと言われている。結果的には、巌谷《いわや》小《さざ》波《なみ》が出した博文館の日本昔噺シリーズに、その地位を奪われたことになる。

弘文社の日本昔噺シリーズ

　文明開化とともに、海外の文物が輸入され、またたくさんの外国人が日本を訪れるようになった。それに対応してであろう、日本を紹介する外国語の書物が次々と出版された。

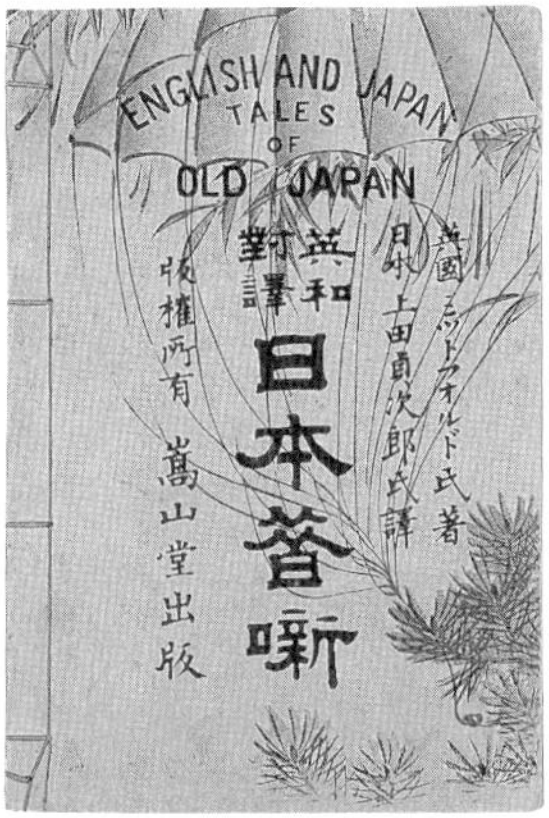

ミット・フォルド著／
上田貞次郎訳
『英和対訳日本昔噺』
（著者蔵
明治35年＝1902刊）

　そうした風潮のなかで、東京の弘文社は多色刷の木版印刷を使って、日本の風景・風俗・芸術などの文化を紹介することに力を注いだ。特に、日本の昔話を外国語に翻訳し、外国の昔話を日本に紹介した点は特筆に値する。

　日本昔噺のシリーズとして、英語版、フランス語版、ドイツ語版が各二〇冊、スペイン語版一〇冊を発行したほか、ラフカディオ・ハーンによる日本昔噺の英語版五冊がある。形態上は、和紙を絹織物の縮緬《ちりめん》のように加工したチリメン本が中心であるが、和紙をそのまま和綴じにした平紙本、洋装にした末製本があり、教科書本も作られている。そのほかにも、平紙本でアイヌ昔噺のシリーズ三冊が出ている。

　日本昔噺のシリーズの英語版は、明治一八年（一八八五）から二五年（一八九二）まで発行されている。表紙に「Japanese Fairy Tale Series」とあり、奥付に「日本昔噺」とある。二〇冊には号数も入っていて、日本語書名で言えば、『桃太郎』『舌切雀』『猿蟹合戦』『花咲爺』『かち

『THE GOBLIN SPIDER（蜘蛛）』
英語版チリメン本
Japanese Fairy Tales（日本昔噺）の
再版第1号。ラフカディオ・ハーン訳。
（著者蔵　明治32年＝1899刊）

くやま』『鼠嫁入《ねずみのよめいり》』『瘤取《こぶとり》』『浦島』『八頭《やまた》の大蛇《おろち》』『彦火《ひこほ》火出見尊《ほでみのみこと》』『松山鏡』『因幡《いなば》の白兎』『野干《やかん》の手柄』『海月《くらげ》』『俵藤太《たわらとうだ》』『鉢かづき』（のちに『文福茶釜』にさしかえられる）『竹篦太郎』『羅生門《らしょうもん》』『大江山』『養老の滝』になる。

『THE HARE OF INABA（因幡の白兎）』英語版チリメン本 Japanese Fairy Tales Series（日本昔噺シリーズ）第11号。ジェイムス夫人訳、鮮斎永濯画。（虎頭恵美子氏蔵 明治19年＝1886刊）

訳者は前半がダビッド・タムソン、後半がジェイムス夫人が中心であり、画工は鮮斎（小林）永濯《えいたく》がほとんどを担当した。タムソンは牧師で、発行者の長谷川武次郎に洗礼を授けた人であり、ジェイムス夫人は日本アジア協会のメンバーであったトーマス・H・ジェイムスの夫人である。永濯は狩野派出身の絵師であり、新聞錦絵や雑誌の挿絵を描いている。

平易な外国語と洗練された挿絵は、土産物として喜ばれただけでなく、日本を知りたい外国人や外国語を学びたい日本人にとって貴重だった。だが、それだけにとどまらず、このシリーズは、その後刊行される日本の昔話の方向性に強い影響を与えたところがある。

教科書に載った昔話

喜多村信節は『嬉遊笑覧』で、江戸の子供の多くが「瓜姫の咄」を知らないが、田舎では今も語られているとした。地方では昔話が盛んに語られていたが、江戸では昔話が衰退するという現象が、当時すでに起こっていたのである。

明治になって、それまでの寺子屋に代わって学校教育の制度が確立し、子供たちは学校で学ぶようになる。その際に、教材として使用されたのが、寺子屋で使われていた往来物（生活の知識を書簡の文章に入れ込んだ書物）に代わる教科書であった。そして国語科の教科書にはしばしば昔話が入

は、よい虫とはいはれませぬ。
第三課　金太郎
此ノヱヲ　ゴラン
ナサイ。
チ、ヲノンデ居ル
ノハ、金太郎デ、
チ、ヲノマセテ
居ルノハ、ソノ母
ノ山ウバデアリ
マス。
金太郎ハ、アカゴノ
トキカラ、カガ、タイ
ソー　ツヨク　アリ
マシタガ、ソダツニ

『尋常国語読本　巻三』より「金太郎」
（東京学芸大学附属図書館蔵　明治33年=1900刊）

れられ、初学者の入門教材として位置づけられるようになったのである。

採録が早かったのは、明治二〇年（一八八七）の『尋常小学読本　巻之二』の「猿とかにとの話」や、『尋常小学読本　巻之四』の「こぶ取」であろうか。これは、実用的な教材から親しみのある教材へと変化しはじめたことと対応している。すでに見たように、明治一〇年代に数多くの昔話絵本が出版されるが、そうした動向に影響されたものかと思われる。

その後、明治二六年（一八九三）の『帝国読本』に「したきりすゞめ」「きんたらうのはなし」「しゆてんどうじ」「さるとかに」「桃太郎」「牛若丸」、翌二七年（一八九四）の『尋常小学読書教本』に「さるとかに」「桃太郎」が入る。さらに明治三〇年代に入ると、昔話はおおむね安定して採録される教材になっていった。

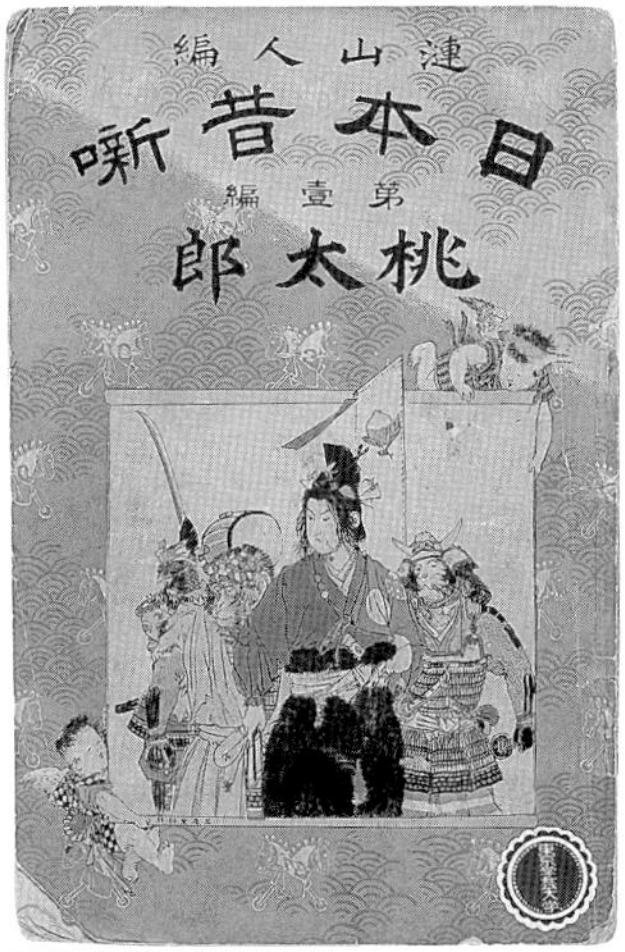

巖谷小波述『桃太郎』
（東京学芸大学附属図書館蔵
明治27年=1894年）

こうして教科書に昔話が導入されたことにより、昔話は日本国民の基礎的な教養となり、戦後の「民話教材」にまで受け継がれることになる。教科書には絶大な権威があったため、そこに載せられた内容が正しいとして、口承の昔話は大きな影響を受けたと想像されている。つまり、他の口承による昔話は間違って伝えられたとの思いこみが生じた。それは、民俗学者の昔話採集に危機感を与えることになったが、昔話の保存には大きな役割を果したと言える。

博文館の日本昔噺シリーズ

教科書に昔話が掲載されはじめた明治二〇年代、幼年文学の書き手として活躍しはじめたのが、巖谷小波であった。小波は尾崎紅葉の門下で小説家を目指したが、うまくゆかなかった。しかし、子供向けの文章を書くことは得意で、「文壇の少年屋」と呼ばれた。

彼が東京の博文館を発兌《はつだ》元とし、明治二七年（一八九四）から二九年（一八九六）までほぼ毎月刊行したのが、日本昔噺（一名は昔々文庫）のシリーズ二四編であった。他人の序文と唱歌に続いて、大江（巖谷）小波述《のぶ》・東屋西丸記《しるす》「日本昔噺」があり、大半に小波作《つくる》「日本昔噺附録」が付く。「述」とあることからすると、「日本昔噺」は口述筆記だったと思われる。画工は各編別人で、そのなかには武内桂舟、寺崎広業、小堀鞆音《ともね》、小林清親《きよちか》など高名な画家が含まれている。

内容は、『桃太郎』『玉の井』『猿蟹合戦』『松山鏡』『花咲爺』『大江山』『舌切雀』『俵藤太』『かち〱山』『瘤取り』『文福茶釜』『物臭太郎』『八頭の大蛇』『兎と鰐』『羅生門』『猿と海月』『安達が原』『浦島太郎』『一寸法師』『金太郎』『雲雀山』『猫の草紙』『牛若丸』『鼠の嫁入』である。このうち一六編は、弘文社のシリーズと共通する。

初編の『桃太郎』には「口上」があって、「幼年諸君へ」でこう記している。

　さて此《こ》の昔噺は、元より有り触れた物斗《ばか》り。それを事新しく書き立てるは、入《い》らざるお世話の様なれど、如何《どう》したものか赤本類は、とんと影を晦《くら》ました今日、僅かに乳母が添乳《そひぢ》の伽《とぎ》に、耳から耳へ伝へられる斗り、目から目へ伝へるべき、書いたものが頗《すこぶ》る少い。其処《そこ》で例の児煩悩、これがいかにも残念さに、兎《と》に角一集《ひとまとめ》にして置きたいと云ふ、若いに似合はぬ老婆心から、辛うじて求《あさ》り得た二三の参考書と、僅かに残る記憶を力に、挿画《さしえ》と唱歌の合槌を頼んで、かくは打て出でたる次第、由来を聞けば難有《ありがた》くもなけれど、其処がそれ御馴染甲斐に、相変らずの御贔屓《ひいき》を、先以て御願ひ申し置く。

このシリーズは小波の知名度もあって、のちの教科書にも大きな影響を与えたと言われている。

唱歌になった昔話

改めて、私たちが何によって昔話を記憶してきたかを考えてみたい。家庭や幼稚園・保育園で、絵本や紙芝居を読み聞かせられた経験をもつ人もいるだろう。しかし、着実な定着に寄与しているのは歌ではないか。「金太郎」は「まさかり担いで金太郎　熊にまたがりお馬の稽古……」、「桃太郎」は「桃太郎さん桃太郎さん　お腰に付けた黍団子《きびだんご》……」、「浦島太郎」は「昔々浦島は　助けた亀に連れられて……」と始まることなど、誰でも知っているにちがいない。

これらの歌は、明治時代に発刊された唱歌の教科書に載っている。現在では学校教育のなかでは歌われなくなったかもしれないが、その伝統が今もなお生きていて、人々に歌い継がれているのである。一〇〇年を超えても、歌は生きていることになる。

出典を調べると、「キンタロー」は明治三三年（一九〇〇）の『教科適用幼年唱歌　初編上巻』、「はなさかぢぢい」は明治三四年（一九〇一）の『教科適用幼年唱歌　初編下巻』、

「大江山」「兎と亀」は同年の『教科適用幼年唱歌　二編上巻』に見える。これらはみな石原和三郎作歌・田村虎蔵作曲であり、このコンビの活躍が大きかったことが知られる。

　その後、第一期国定教科書の時代になり、「牛若丸」「桃太郎」は明治四四年（一九一一）の『尋常小学唱歌第一学年用』、「浦島太郎」は同年の『尋常小学唱歌第二学年用』に見える。これらには、作歌者・作曲者の名前は記されていない。

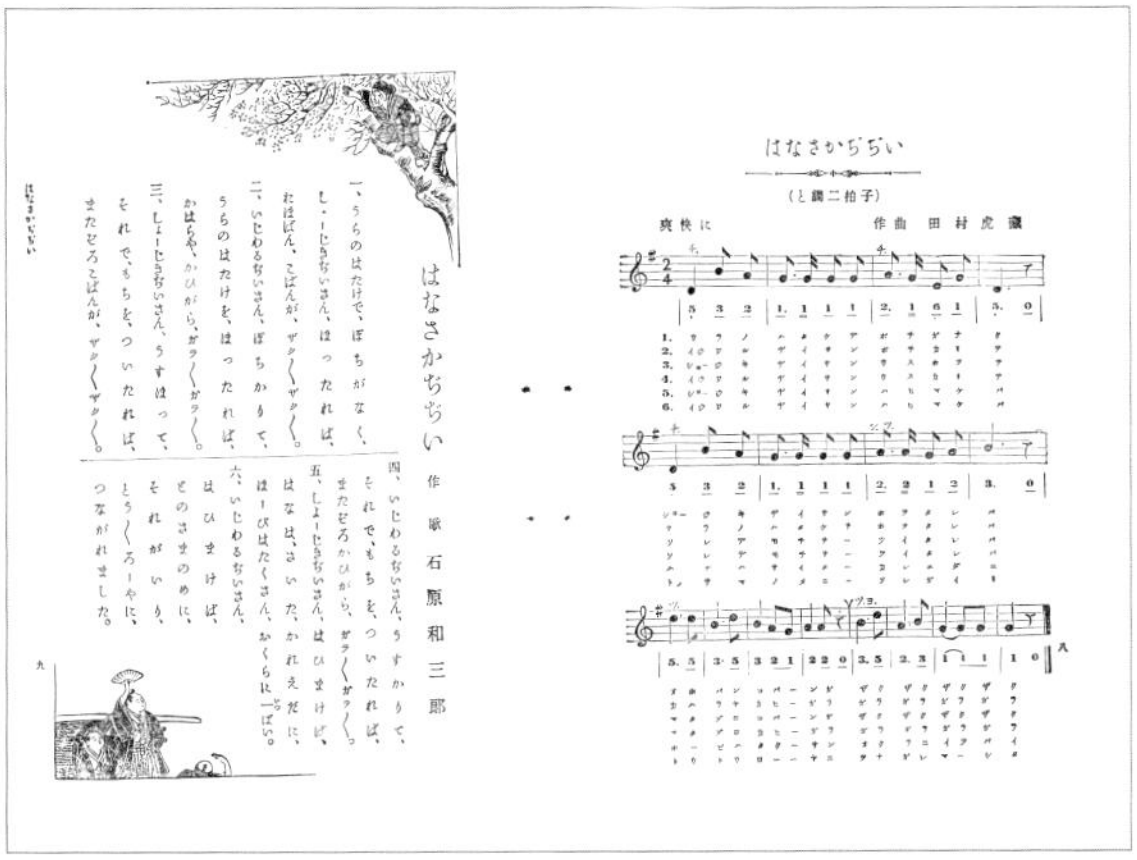

『教科適用幼年唱歌初編下巻』より「はなさかぢぢい」（大阪府立国際児童文学館蔵　明治34年＝1901刊）

　昔話を歌った唱歌を具体的に挙げてみよう。『尋常小学唱歌第二学年用』に入った「一〇、浦島太郎」である。

一、昔々浦島は／助けた亀に連れられて
竜宮城へ来て見れば、／絵にもかけない美しさ。
二、乙姫様の御馳走に、／鯛や比目魚《ひらめ》の舞踊《まひをどり》、
たゞ珍しく面白く、／月日のたつも夢の中《うち》。
三、遊びにあきて気がついて、／お暇乞《いとまごひ》もそこ〳〵に、
帰る途中の楽《たのしみ》は、／土産に貰つた玉手箱。
四、帰つて見ればこは如何《いか》に、／元居た家も村も無く、
路に行きあふ人々は／顔も知らない者ばかり。
五、心細さに蓋とれば、／あけて悔しき玉手箱、
中からぱつと白烟《しろけむり》、／たちまち太郎はお爺さん。

　全文を挙げてみると、記憶が曖昧なことに気づくだろう。特に、四番の「こは如何に」の文語表現が子供たちには理解できなくなっていて、「怖い蟹」の意味に解釈してしまうことが少なくないという。

　それにしても、この歌詞は、浦島太郎が亀を助けて、竜宮城に連れられるという江戸時代以来の設定をとっている。われわれが昔話の題名だけは覚えていながら、御伽草子にあるような発端や結末を忘れてしまった背景に、唱歌の絶大な影響力があったことを考えてみるべきなのだろう。

column

教科書と昔話

明治二〇年（一八八七）の『尋常小学読本　巻之二』に入った「猿　と　かに　と　の話」は、次のように始まる。

むかし　猿　と　かに　と　あり。かに　は、或る　よこちやう　にて、にぎりめし　を　拾へり。猿は、又　柿　の　種　を　拾へり。猿　は、かに　を　だまし、にぎりめし　と　取りかへたり。

文章は文語体であり、表記は漢字平仮名交じり文で、助動詞を除いた単語を分かち書きにしている。末尾には、「此　猿　は　何　故　に　かゝる　うき目　に　あひたる　ぞ」という一文が添えられる。子供たちに、猿は蟹をだまして握り飯を取り、渋柿を投げつけて怪我をさせたので、蟹に敵討をされた、ということを考えさせようとしている。この一文は、教材化の配慮であった。

続いて、明治二六年（一八九三）の『帝国読本　巻之三』に入った「したきりすゞめ」は、次のように始まる。

むかしく、となりど-うしに、ぢいさんとばあさんとが　ありました。ぢいさんは、なさけあるものにて、いちはの　こすゞめを　かはゆがり、わがこのやうにそだてました。

文章は口語体で、しかも敬体になっている。長音化する箇所には「-」の記号があって、音読する際の配慮もある。しかし、文章は話の発端だけで終わっていて、ストーリー全体を引くわけではない。

教材化にあたって、昔話のもつ教訓が配慮されている場合もあるが、修身の教科書ではないので、やはり基本的な言葉や漢字の習得が主眼になっている。だが、そうした意図を超えて、人々が教科書を通して昔話を学んだであろうことは容易に想像される。

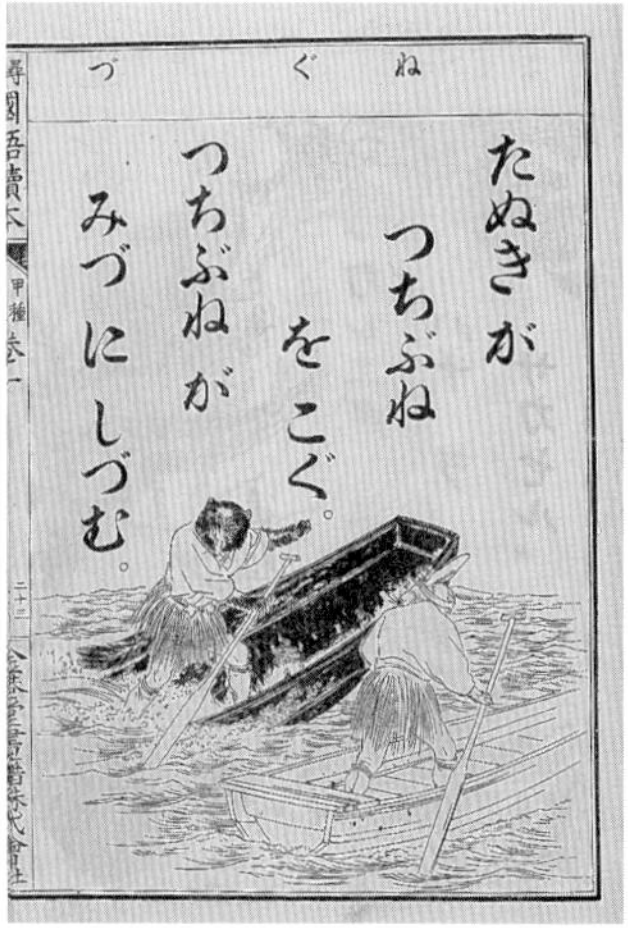

『尋常国語読本　甲種巻一』より「かちかちやま」
（東京学芸大学附属図書館蔵　明治33年=1900刊）

新しい絵本と研究——大正時代

佐々木喜善と昔話採集

日本民俗学を創設した柳田国男が岩手県遠野出身の佐々木喜善から聞いた話をまとめて、『遠野物語』が発行された。明治四三年（一九一〇）のことである。その内容は神仏や山人《やまびと》・河童《かっぱ》などの不可思議な伝説が中心であるが、末尾の四話は昔話に言及していた。

一一五話には「御伽話のことを昔々と云ふ」とあり、中央で「御伽話」と呼んでいた昔話を、遠野では「昔々」と言うとする。一一六話と一一七話には、ヤマハハ（山姥）の登場する昔話を丁寧に書き留めている。一一八話は、紅皿欠皿《べにざらかけざら》の話に触れるが、その内容は簡略である。このときは柳田も佐々木も昔話に関する関心は薄かったが、これは地方に生きつづけていた昔話の発見であった。

佐々木はその後、話し手から研究者になり、昔話採集を重ねた。そして、大正一一年（一九二二）、江刺《えさし》から来ていた炭焼きに聞いた話を記録した『江刺郡昔話』、大正一五年（一九二六）、小笠原謙吉から送られた資料を書き直した『紫波《しわ》郡昔話』、昭和二年（一九二七）、村の辷石《はねいし》谷江の昔話を中心にまとめた『老媼夜譚《ろうおうやたん》』、昭和六年（一九三一）、東北地方北部の昔話を集大成した『聴耳草紙《ききみみぞうし》』を発刊した。

昔話集を作ることそれ自体が新しい実験であり、その作り方にも工夫が凝らされている。『老媼夜譚』の口絵には谷江が縁側に座る写真を入れているが、これは日本で初めての昔話の語り手の写真であった。『聴耳草紙』の口絵には、「一番　聴耳草紙」の場面が絵画になっている。

それまでの子供向けの昔話絵本に代わって、研究者に向けた資料として昔話集が作られる時代を迎えたことになる。

日本一ノ画噺のシリーズ

一方、明治四四年（一九一一）から大正一五年（一九二六）にかけて、東京の中西屋書店（途中で丸善と合併）が日本一ノ画噺シリーズを刊行した。この書店は丸善の払い下げ洋書を売るために作られたので、西洋の雰囲気に満ちていた。

このシリーズはＢ７判変型縦長の上製絵本で、基本的には、親しみやすい七五調の文章とシルエットの画法を用いた挿絵が見開き単位で構成されている。こうした斬新な試みは従来の絵本にはなく、モダンな感じ

巌谷小波著／岡野栄画
『カチカチヤマ』
（大阪府立国際児童文学館蔵　明治44年=1911刊）

を上手につくり出していた。それゆえ、子供向けの絵本の最高傑作であるとも言われている。

全部で三五冊からなり、文章はすべて巌谷小波が書いているが、挿絵は岡野栄、小林鍾吉《しょうきち》、杉浦非水の三人が分担している。そのなかに、『シタキリスズメ』『ウラシマ』『カチカチヤマ』『モモタラウ』などの昔話が、九冊ほど含まれている。

例えば、『ウラシマ』は、浦島太郎が竜宮城で接待される場面が詳しい。文章だけでも、各見開きは、

たひ が せんす を もちだして、／
とくい の まひ を まつて ゐる。
たこ の にうどう をどりだす
えび の きよくげい ひげ の さき、／
ちやわんまはし の うまい こと。
ふぐ と かつを は しばゐ して、／
とんだり はねたり にらんだり。
かに は かるわざ つなわたり、／
よこのり よこばひ おほあたり。
かめ も まけずに はひだして、／
さを の あたまで はらんばひ。
さかな どうし の つなつぴき

となり、全体の四割を占める。昔話の自由領域とも言える部分が肥大化した場合と考えられる。

ちょうどこのシリーズが出ていた間に、鈴木三重吉による児童雑誌『赤い鳥』が大正七年（一九一八）に創刊され、従来の通俗的な読み物ではなく、芸術性の高い作品が出された。しかし、絵本ということで考えると、この時期は不作だったと言われている。

その後の絵本の流れは結局、昭和三年（一九二八）から昭和四年（一九二九）まで、東京の誠文堂から発行されるコドモエホンブンコまで待たねばならなかった。

このシリーズは、画家が挿絵と文章の両方を書くこともあるのが特徴で、武井武雄の『舌切雀』や初山滋の『一寸法師』が含まれている。

童話口演の盛衰

昔話は絵本として子供たちに与えられただけでなく、実際に子供たちの前で演じられた。当初、子供に向けて話をすることを「お伽噺口演」（「お伽口演」ともいう）と言ったが、大正七年（一九一八）頃から「お伽噺」は「童話」となり、「童話口演」と改まった。

巌谷小波の回想によれば、明治二九年（一八九六）頃、京都の小学校長の依頼によってお伽噺口演を試みたのが初めてであるという。ちょうど博文館から日本昔噺のシリーズが出ている頃であった。

当時、小波の人気は抜群だったので、お伽噺口演の依頼は東京のみならず、全国から殺到した。これは博文館の宣伝にもなるので、久留島《くるしま》武彦を加えて巡回し、その範囲は朝鮮・中国・台湾にまで及ぶものであった。二人の話し方には違いがあって、小波が淡々と無造作に話したのに対して、武彦はゼスチャーを交えてしっかりした声で話したという。

大正時代に入ると、大塚懇話会が設立され、童話口演は学校教育の現場にも入り込んでますます盛んになり、各地に童話研究会ができた。当時、「童話」と言えば、話す童話を意味するほどだったという。そして、二人の流れを汲んだ口演童話家が各地に現れるようになるが、大正末期になると、この運動は急速に衰えてしまった。

だが、戦後、昔話の語りが見直されるようになる。それはアメリカから始まったストーリーテリングと呼ばれる運動であった。童話口演とはまったく別の立場から始まったが、近年、その関係が考えられつつある。

子供たちにお話をする巌谷小波（『説話大観大語園』より）

蘆谷重常（蘆村）と雑誌『童話研究』

一方、大正時代、御伽噺から脱皮を図った童話を熱心に研究した人物に、蘆谷重常《あしやしげつね》がいた。彼は研究的な論文のときは本名の重常を使い、随筆・感想・童話などには号の蘆村《ろそん》を使ったという。

蘆谷の特色は、教育的な立場から、子供に与えられる童話を学術的に研究しようとしたところにある。その考えは、例えば、大正二年（一九一三）の『教育的応用を主とした童話の研究』によく表れている。

> 教育に関する各般の学術は今や著しき進歩を遂げたり。啻《ひと》り童話の研究に至ては然らず。童話は過去及び現在に於て、文学的教科の重要なる一教材たるのみならず、また教室に於ける談話の材料として、訓練の方便物として、通俗教育の一手段として、皆重要なる位置を占む。然るにも拘らず、童話の教育的研究は尚甚だ足らざるものあり。これ予の概嘆して措《お》かざる所なり。（「自序」）

彼自身は童話は書いたものの、童話口演は行わなかった。しかし、童話全体の理論的な構築を実現しようとしていたのである。しかし、その研究はイギリスの研究の祖述にとどまったとして、これまではあまり評価されてこなかった。

そうしたことはあるものの、日本童話協会を設立し、雑誌『童話研究』を大正一一年（一九二二）から昭和一六年（一九四一）まで出しつづけた意義は大きい。この雑誌は、交渉のなかった童話作家と口演童話家が出会う場になり、本格的な児童文化研究の到来だったからである。

蘆谷の活躍はちょうど、佐々木喜善から柳田国男へと交替しながらも、民俗学者が採集と研究を進めていた時期と重なっていた。そうした動きのなかで、「童話」という言葉は追いやられ、昭和時代に入ると「昔話」に取って代わられてしまった。彼の研究が忘れられてしまった最大の原因は、おそらくそうしたところにある。

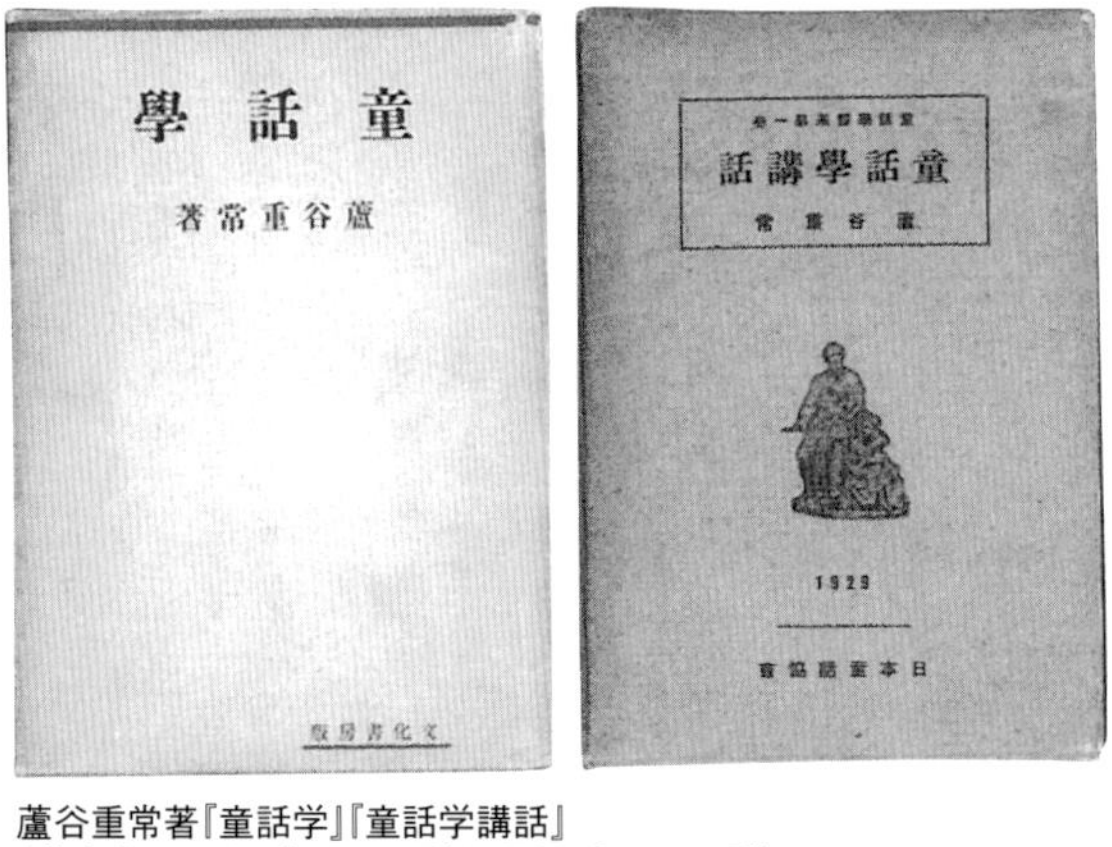

蘆谷重常著『童話学』『童話学講話』
（著者蔵　昭和6年=1931刊と昭和4年=1929刊）

column

近代文学と昔話

昔話はそれをそのまま書き留めるだけではなく、むしろ、よく知っている話だけに、それをふまえたパロディーを楽しむことが多い。江戸時代の草双紙も赤本から黒本・青本・黄表紙と変わってゆくにつれて、本来の昔話から離れていった。そうした昔話に対する関心は、近代文学になっても衰えることはなかった。

日本の昔話の大衆化に大きな役割を果たした巌谷小波は、日本昔噺シリーズを出す前の明治二四年（一八九一）、幼年文学のシリーズに『鬼桃太郎』『猿蟹後日譚』を発表している。こうした作品は昔話の翻案と言っていいものであった。

一方、子供向けの文章ではなく、昔話を小説に取り入れた作家に、泉鏡花がいる。彼の作品の中でもよく知られているのは、明治四一年（一九〇八）発行の『高野聖《こうやひじり》』であった。その中には、富山の薬売りが馬にされてしまう趣向が含まれるが、それは昔話の「旅人馬」をふまえたものである。

その後、武者小路実篤は、大正六年（一九一七）に戯曲の『カチカチ山と花咲爺』を発刊し、芥川龍之介も、大正一二年（一九二三）に『猿蟹合戦』、翌一三年（一九二四）に『桃太郎』を発表している。それらばかりでなく、昔話に題材を採った小説や戯曲は、枚挙にいとまがないほど書かれているのである。

こうした試みは昔話のパロディーであるだけに、優れた作品にはなりにくいところがある。しかし、昔話を利用しながら大きく飛躍した稀な達成に、太宰治が昭和二〇年（一九四五）に発行した『お伽草紙』がある。これは「前書き」「瘤取り」「浦島さん」「カチカチ山」「舌切雀」から構成されるが、太宰の話術が遺憾なく発揮されている。

それ以降、昔話をふまえた創作は、木下順二の「民話劇」に移ってゆく。

『夕鶴』（著者蔵　昭和26年＝1951刊）
木下順二文／福田豊四郎絵。新潮社の世界の絵本シリーズの1冊で、戯曲『夕鶴』を児童向けに書き直している。

子供向けシリーズの刊行

——昭和時代〈戦前・戦中〉

日本児童文庫と小学生全集のシリーズ

大正時代末期から昭和時代初期は出版活動が盛んになった時期で、改造社の現代日本文学全集が安価なシリーズとして刊行された。そうした動きは子供向けの出版物にまで波及してゆくことになる。

昭和二年（一九二七）には、アルスの日本児童文庫と文藝春秋社・興文社の小学生全集が相次いで刊行された。前者は北原白秋の弟北原鉄雄の経営になり、後者は菊池寛・芥川龍之介の責任編集であった。この二つは、子供向けの百科全集といってもいいシリーズであった。

柳田国男著『日本昔話集　上』の岡本帰一による口絵
（著者蔵　昭和5年＝1930刊）

なかでも、昔話を考えるうえで重要なのは、日本児童文庫であった。巌谷小波は『日本お伽噺集』を書き、五大昔話をはじめとする一九話を紹介した。しかし、それらは博文館の日本昔噺シリーズなどをそのまま用いたもので、旧態依然としていた。

それに対して、まったく別の視点から昔話を取り上げたのは、柳田国男であった。柳田は、子供は単に話を楽しむ読者ではなく、「昔話」「伝説」とは何かを考える小さな研究者であることを期待していた。

昭和四年（一九二九）の『日本神話伝説集』では、「咳《せき》のをば様」「驚き清水」などの一一章を挙げた。挿画は石井了介。また、翌五年（一九三〇）の『日本昔話集　上』では、「猿の尾はなぜ短い」「海月骨無し」などの一〇八話を、動物昔話・本格昔話・笑い話の順に提示した。挿画は岡本帰一。この二冊は、のちに『日本の伝説』『日本の昔話』と改題され、児童の読み物から民俗学の研究書と見られるようになっていった。

一方、小学生全集には、昭和五年と六年（一九三一）、菊池寛の『日本童話集　下』と『日本童話集　上』が入る。それぞれ一九話、一六話を紹介する。話の表記は片仮名中心の文から漢字・平仮名交じり文に移り、話の内容も次第に難しくなるような教育的配慮をしているが、従来の「童話」を出るものではなかった。

その後、柳田の構想は、「伝説」「昔話」にとどまらず、「口承文芸」（「言語芸術」ともいう）へと広がっていった。それに伴って、それまでの「お伽噺」「昔噺」や「童話」は「昔話」に一蹴されることになる。

結局、日本児童文庫と小学生全集は過剰な宣伝合戦を行い、共倒れになった。そうした悲劇を伴ったが、巌谷小波から柳田国男へ、児童文学から民俗学へという交代劇を日本児童文庫は象徴的に演じてしまったのである。

柳田国男の昔話研究

昔話が置かれた環境を考えてみると、明治時代から昭和時代初期までは、児童文学者が子供向けの童話として安易に書き改めたり、一方で民族学者は思いつきの比較研究を進めたりしていた。それに対して柳田国男は、そうしたことを進める前に、まず日本にどれだけの昔話があるかを明らかにしなければならないと考えていた。

雑誌『旅と伝説』に「昔話新釈」の論考を連載しはじめたとき、全国の読者に昔話採集を呼びかけた。そして、昭和六年（一九三一）、「柳田国男編輯　昔話号」を発刊している。日本の昔話採集は佐々木喜善から始まったが、この頃から柳田の主導のもとで全国的な関心になっていったのである。

その後、昭和八年（一九三三）、「昔話新釈」の連載などをまとめた『桃太郎の誕生』を出している。これは、異常誕生の主人公が苦難を経て、幸福を得るという昔話の構造を把握し、そこに潜む固有信仰を明らかにしたものであった。

こうした動きはさらに多くの同志をつくり出し、昭和一〇年（一九三五）、専門雑誌『昔話研究』を発刊するに至る。それとともに、全国組織で作られた民間伝承の会を母胎にして、昭和一一年（一九三六）に、関敬吾と共編で『昔話採集手帖』を作り、一〇〇話に絞った体系的な採集を進めようとした。

柳田国男著『桃太郎の誕生』
（著者蔵　昭和8年＝1933刊）

その後、昭和一三年（一九三八）、昔話と物語文学の関係を追究した『昔話と文学』を著し、さらに昭和一八年（一九四三）、昔話の形式を捉えたうえで比較研究の可能性を探ろうとした『昔話覚書』を発行した。その間、昭和一七年（一九四二）から出し始めた全国昔話記録のシリーズは、困難な時期の貴重な記録であった。

戦後になると、神話を失った時代のなかで、昭和二二年（一九四七）、昔話と伝説と神話の関係を論じた『口承文芸史考』を発行し、さらに翌年（一九四八）の『日本昔話名彙』と昭和二五年（一九五〇）の『日本伝説名彙』の監修を行って、その研究を大成させたのである。

講談社の絵本シリーズ

柳田国男の興した民俗学による昔話の採集と研究が本格化しつつあった昭和一一年（一九三六）、東京の大日本雄弁会講談社が絵本シリーズを発行しはじめた。昭和一七年（一九四二）までに二〇三冊が出され、その内容は偉人・科学・昔話・漫画など多岐にわたるものであった。

表紙は、「子供がよくなる　講談社の絵本」と銘打っている。「絵本創刊の御挨拶」でも、「勇気や親切心、同情心、孝行心、忠義の心、いろいろの特性を養ふ絵本。皇道精神、愛国心といふやうなものも小さい中から十分にわかつて、いたゞきたい」と述べている。このシリーズは、国定教科書に準ずるような教育絵本として出されたことがわかる。

そのなかで昔話の絵本は、『桃太郎』『金太郎』『浦島太郎』『花咲爺』『猿蟹合戦』『一寸法師』など、一四冊を数えることができる。このなかには、『竹取物語　かぐや姫』『オムスビコロリン』『カモトリゴンベエ』のように、従来あまり取り上げられず、それ以降盛んに採用される昔話が含まれている。

例えば、『桃太郎』と『花咲爺』を見ると、それぞれ次のように始まる。

ムカシ　ムカシ　アルトコロニ　オヂイサント　オバアサンガ　ヰマシタ。タイヘン　ナカガ　ヨクテマイニチ　オヂイサンハ　ヤマヘ　シバカリニオバアサンハ　カハ　へ　センタクニイッテ　タノシククラシテヰマシタ。（『桃太郎』）

ムカシ　ムカシ　アルトコロニ　オヂイサント　オバアサンガ　ヰマシタ。アルヒ　オヂイサンガ　ヤマヘ　シバカリニイクト　ヤセタイヌガ一ピキ　ヤッテキマシタ。オヂイサンハ　カハイサウニオモッテ　イヌヲ　ツレテカヘリマシタ。（『花咲爺』）

どちらも神話学者の松村武雄が書いたものである。文章が類型化しているが、そのなかに、夫婦仲良くし、可哀想なものをいたわるべきだという教訓がすり込まれている。こうした改変は教育勅語の影響を受けたものだと言われている。

column

双六《すごろく》と昔話

昔話の絵画について考えてみると、錦絵が思い浮かぶ。昔話に取材した作品は、江戸時代後期には流布していたようである。それは、赤本以来の草双紙の流行に影響されたものと推定される。

なかでも、安政四年（一八五七）に出た歌川重宣《しげのぶ》画の『昔ばなし一覧図会』は昔話づくしで、名場面が随所に配されている。多色刷なので、赤本の伝統を引く以上に、むしろ、明治期の昔話絵本を先取りしているかの趣がある。

そうした絵師の活動が子供の遊びとつながったところに、双六が生まれてくる。万延元年（一八六〇）、落合芳幾《よしいく》画の『昔咄赤本寿語禄《すごろく》』（7頁参照）は昔話づくしだが、明治時代初期にできたかと思われる、一英斎（歌川）芳艶《よしつや》画の『昔ばなし出世双六』は「桃太郎」のストーリーを追ってゆく。昔話の双六には、だいたいこの二系統がある。

やがて子供向け雑誌が発刊されるようになると、明治時代後期から、新年号の附録に双六が付くことがある。明治三三年（一九〇〇）の巌谷小波考案・武内桂舟画の『日本お伽双六』は『少年世界』の附録であった。これは「姨捨山《をばすてやま》」を除いて、博文館の日本昔噺シリーズの話を踏襲している。

その後も昔話の双六は盛んで、大正一三年（一九二四）の太田聴雨画の『お伽国双六』は『コドモ絵雑誌』、昭和二年（一九二七）の野辺地天馬案・竹久夢二画の『お伽の国めぐり』は『子供之友』の新年号附録であった。この時代になると、モダンな衣装を着て乗り物に乗る子供が双六に登場する。

一英斎芳艶画『昔ばなし出世双六』（東京都立中央図書館蔵　明治時代）

昔話と民話

——昭和時代〈戦後〉

『夕鶴』と民話運動

戦後、いち早く昔話が注目されたのは、木下順二が昭和二四年（一九四九）に発表した『夕鶴』によるところが大きい。これは、佐渡の昔話「鶴女房」に取材して書かれた戯曲で、山本安英《やすえ》の劇団ぶどうの会で上演された。『夕鶴』は好評を博し、木下は揺るぎない地位を獲得した。

木下はほかにも、『三年寝太郎』『彦市ばなし』『瓜子姫とアマンジャク』などの戯曲を書いたが、これらは「民話劇」と呼ばれた。民衆の話に取材した劇だからである。特に『夕鶴』の成功は、戦後の民主主義と結びついて、民話運動として進展してゆくことになる。

そうした雰囲気のなかで民話の会が組織され、昭和三三年（一九五八）から二年ほど雑誌『民話』が刊行された。宮本常一が昭和三五年（一九六〇）に出した『忘れられた日本人』も、最初この雑誌に連載されたものである。この会は、民族の遺産としての「民話」を現代的課題に照らして創造し直さなければ意味がないという考えをもっていた。

しかし、柳田国男は「民話」に対して嫌悪感を顕わにした。柳田にとって「昔話」は、前代の人々の歴史や信仰を知るための重要な対象であり、勝手に手を加えてよいものではなかった。だが、柳田はもう年を取っていて、もはや「童話」を追いやったようには、「民話」を駆逐することはできなくなっていた。

その結果、民俗学者はその後も、柳田が創造した「昔話」を使って、日本全国から話を集め、それをもとに学術的な研究を進めた。それに対して、「民話」という言葉を引き受けたのは、児童文学者であった。教科書には「民話教材」が採用され、「民話」は学校教育に浸透していった。

その後、「民話」は民俗学との接点を探り、「昔話」「伝説」「世間話」を包含する意味で用いられるようになった。そして、話ならば何でも包括してしまう概念と化したのである。そうしたなかで注目されたのが現代にも生まれる話であり、松谷みよ子はそれらを「現

関敬吾著『炭焼長者』
（著者蔵　昭和22年＝1947刊）

代民話」と命名した。

関敬吾の昔話研究

一方、戦前から柳田国男のもとで昔話研究を志してきた研究者に、関敬吾がいた。関は、雑誌『昔話研究』を編集し、柳田と共編で『昔話採集手帖』を出したほかに、昭和一〇年（一九三五）、母から聞いた昔話を中心にまとめた『島原半島民話集』、昭和一六年（一九四一）、昔話の概説書『昔話』を刊行していた。

そうした関の仕事が開花してくるのは、戦後になってからであった。あまり知られていない著述に、昭和二二年（一九四七）と翌年（一九四八）、ともだち文庫に寄せた『藁しべの王子』『炭焼長者』『上の爺さまと下の爺さま』など子供向けの本がある。こうした積み重ねは、やがて岩波文庫の日本の昔ばなしシリーズに結実していった。

関敬吾著『笠地蔵様』
（著者蔵　昭和21年＝1946刊）

それにもまして重要なのは、昭和二五年（一九五〇）から三三年（一九五八）まで刊行された『日本昔話集成』であった。これは柳田監修の『日本昔話名彙』を超える話型索引として、その後の昔話研究の基礎になり、やがて『日本昔話大成』に増補改訂された。

柳田は、昔話発生学の立場から、完形昔話・派生昔話の二分類案を主張してきた。これに対して、関は、昔話の比較研究を進めようと考え、動物昔話・本格昔話・笑話の三分類案をまげずに話型索引を作ったのである。これは、日本から世界への発信にこだわった柳田と、昔話のもつ国際性に重きを置いていた関との違いであった。

その後、関の仕事を受けて、昭和五二年（一九七七）から平成一〇年（一九九八）まで、稲田浩二・小澤俊夫責任編集の『日本昔話通観』が発行された。日本の昔話調査は一〇〇年近い歳月をかけて、その全容がだいたい見えてきた段階にある。二一世紀は、アジアや世界に向けて比較研究が進むはずである。

再話された昔話絵本

これまで民俗学者には、柳田国男や関敬吾を除けば、昔話を子供や一般人にどのように伝えてゆくかという関心は稀薄であった。調査と研究には熱心でも、長年の努力で集めた膨大な資料を利用することは、あまり考えなかったのである。

坪田譲治著『鶴の恩がへし』
（著者蔵　昭和18年＝1943刊）

そうした役割を考えて働いてきたのは、やはり児童文学者であった。坪田譲治は柳田の許可を得たうえで、『日本の昔話』の書き換えを行って、昭和一八年（一九四三）に、『鶴の恩がへし』を出していた。子供たちに与えられる昔話は、常にその時代に合った言葉で提供されねばならないと考えていたのである。

やがて昭和四〇年（一九六五）頃から、児童書の一領域に昔話に関する絵本が定着してくる。それは、もはや家庭や村落で昔話を語り伝えることが絶望的になってきた時期であり、昔話は絵本を通して子供たちに引き渡されねばならないものになってきたのである。

しかし、この時期になると、児童文学者も昔話の書き換えを「再話」と呼び、自覚的になってくる。民俗学者の集めた資料と研究の成果を十分に検討したうえで、昔話の書き換えを考えるようになってきたのである。

その間に、瀬田貞二の『うしかたとやまうば』、木下順二の『かにむかし』、松居直《ただし》『ももたろう』、おざわとしお『かちかちやま』などの絵本が生まれている。その際、赤羽《あかば》末吉、瀬川康男、太田大八といった画家が腕を振るったのである。

しかし、なんと言っても最大の功労者は松谷みよ子であろう。自ら各地の昔話を聞き歩き、その再話は数多くに及んだ。その一方では、長野県に伝わる「小泉小太郎」の伝説をふまえた『龍の子太郎』を著してもいる。

二一世紀に入って、さまざまなかたちで昔話の絵本が見直されつつある。従来、子供向けだからということで軽視されてきたが、文学・美術・文化などの分野で、熱心な研究が始まっている。そうした動向に刺激されて、絵本作りはより自覚的な営みになってゆくにちがいない。

松居直著／赤羽末吉画『ももたろう』
（昭和40年＝1965刊　著者蔵）

木下順二著／清水崑絵『かにむかし』
（昭和34年＝1959刊　著者蔵）

column

紙芝居と昔話

昔話と絵画の関係を考えるうえで、絵本とともに重要なのが紙芝居である。紙芝居は、話の内容を数枚の絵画に描いて箱に入れ、それを順にめくりながら、ストーリーを口演するものである。

その起源は幕末から明治時代初期に行われた写し絵にあると言われ、明治中期になると、街頭で紙人形の芝居として演じられたことから、この名称が付いた。現在も行われるような形態と実演が生まれたのは、昭和五年（一九三〇）からだとされている。

その頃に作られた冒険大活劇『黄金バット』が絶大な人気を博し、昭和一〇年代に入ると、街頭紙芝居は全盛期を迎えることになる。ちょうどその時期に教育紙芝居も誕生し、昔話が取り入れられる基盤ができあがった。戦後、街頭紙芝居は徐々に衰退したが、教育紙芝居は小学校や保育園・幼稚園にも迎えられて、むしろ盛んになった。

さすがに今は、紙芝居を小学校の教材にすることはなくなったが、公共の図書館には常備され、頻繁に貸し出されている。昔話絵本は子供自身が読むより、まず母親が子供に読み聞かせるものであるが、紙芝居はそうした点で、絵本以上に有効であった。おそらくそうした理由で、今もなお広く使われているのだろうと思われる。

そうしたこともあり、昔話は紙芝居のなかの一領域として、重い地位を占めている。

紙芝居『桃の子太郎』と『したきりすゞめ』
（遠野市立博物館蔵　ともに昭和29年=1954刊）

主な参考文献

荒木博之他編『日本伝説大系』みずうみ書房
アン・ヘリング『江戸児童図書へのいざない』くもん出版
石井正己『絵と語りから物語を読む』大修館書店
石井正己『図説　遠野物語の世界』河出書房新社
石井正己『遠野の民話と語り部』三弥井書店
稲田浩二他編『日本昔話事典』弘文堂
稲田浩二・小澤俊夫責任編集『日本昔話通観』同朋舎出版
内ヶ崎有里子『江戸期昔話絵本の研究と資料』三弥井書店
内山憲尚編『日本口演童話史』文化書房博文社
大島建彦他校注・訳『室町物語草子集』小学館
小澤俊夫教授古稀記念論文集編集委員会編『昔話研究の地平』
　小澤昔ばなし研究所
上笙一郎編『江戸期童話研究叢書』久山社
清瀬市郷土博物館編『五大昔噺』清瀬市郷土博物館
近世文学研究「叢」の会編『叢　草双紙の翻刻と研究』
　東京学芸大学言語文学第一学科古典文学第六研究室
くもん子ども研究所編『浮世絵に見る江戸の子どもたち』小学館
小池正胤・叢の会編『江戸の絵本』国書刊行会
国立国会図書館「第88回常設展示　『お伽の国』　日本とちりめん本」
　国立国会図書館
国立国会図書館国際子ども図書館編『不思議の国の仲間たち』
　国立国会図書館国際子ども図書館
後藤総一郎・宮田登他編『柳田国男全集』筑摩書房
子どもの文化研究所編『紙芝居』童心社
鈴木重三・木村八重子、中野三敏・肥田晧三編『近世子どもの絵本集
　江戸篇・上方篇』岩波書店
世田谷文学館編『昔話と昔話絵本の世界展』世田谷文学館編
関敬吾『日本昔話大成』角川書店
瀬田貞二『落穂ひろい』福音館書店
瀬田貞二代表『複刻　絵本絵ばなし集』ほるぷ出版
1986年子どもの本世界大会周辺プログラム委員会編『日本の子どもの本
　歴史展』社団法人日本国際児童図書評議会・社団法人東京都文化振興会
東京都江戸東京博物館編『絵すごろく展』東京都江戸東京博物館
徳田和夫『お伽草子研究』三弥井書店
徳田和夫・矢代静一『お伽草子・伊曾保物語』新潮社
徳田和夫編『お伽草子事典』東京堂出版
鳥越信『桃太郎の運命』日本放送出版協会
鳥越信編『目でみる日本昔ばなし集』文藝春秋
鳥越信編『はじめて学ぶ日本の絵本史』ミネルヴァ書房
中村幸彦他編『新編稀書複製會叢書』臨川書店
滑川道夫『桃太郎像の変容』東京書籍
滑川道夫他編『復刻版　童話研究』久山社
奈良絵本国際研究会議編『御伽草子の世界』三省堂
西井正気解説・年譜『月岡芳年展』日本経済新聞社
日本民話の会編『ガイドブック日本の民話』講談社
野村純一他編『昔話・伝説小事典』みずうみ書房
野村純一編『昔話・伝説必携』学燈社
野村純一『新・桃太郎の誕生』吉川弘文館
野村純一他編『日本説話小事典』大修館書店
藤本朝巳『昔話と昔話絵本の世界』日本エディタースクール出版部
福生市郷土資料室編『ちりめん本と草双紙』福生市教育委員会
松居直『絵本のよろこび』日本放送出版協会
三浦佑之『浦島太郎の文学史』五柳書院
柳田国男監修『日本昔話名彙』日本放送出版協会
横山重・太田武夫校訂『室町時代物語集』井上書房
横山重・松本隆信編『室町物語大成』角川書店
早稲田大学「占領下の子ども文化〈1945―49〉展」実施委員会編
『占領下の子ども文化〈1945―49〉』株式会社ニチマイ・有限会社スタッフ

あとがき

私が最初に出した『絵と語りから物語を読む』は、絵画と伝承の双方向から物語を分析した一冊であった。あれから六年が経ち、研究の重点は『遠野物語』や柳田国男へ移ったが、この認識の枠組みは、なお絶ちがたく存在している。

昨年まとめた『遠野の民話と語り部』は、伝承の方向に目を向けた一冊だった。これは、岩手県遠野市の昔話の研究と語り部の活躍を追ったものであった。この本で、遠野は昔話の研究が最も早く始まり、今、昔話の継承を模索していることが明らかにできた。

そうした流れで言えば、本書は絵画の方向に傾斜した一冊だと言えよう。昔話絵本については ずいぶん前から気になって、折あるごとに古書を買い求め、特別展にも足を運んできた。いつかは通史的な入門書を書いてみたいと思っていたところであった。

この企画が動き出してからも、諸般の事情で原稿ははかばかしく進まなかった。しかし、グリム研究者の虎頭恵美子氏には特にお世話になり、また写真家の清水啓二氏、編集の三村泰一氏にご尽力を賜り、まとめあげることができた。妻の季子には、今回もずいぶん助けてもらった。この場をかりて、すべての方々に改めて御礼を申し上げたい。

二〇〇三年五月二三日、娘久美子の誕生日に

著　者

所蔵者・協力者（敬称略）

石井正己
石黒敬章
虎頭恵美子

宇良神社
大阪府立国際児童文学館
河鍋暁斎記念美術館
財団法人黒船館
講談社
国立国会図書館
実践女子大学図書館
東京学芸大学附属図書館
東京国立博物館
東京大学国文学研究室
東京都立中央図書館
道成寺
遠野市立博物館
東洋大学附属図書館
財団法人東洋文庫
栃木県立博物館
西尾市岩瀬文庫
財団法人日本民藝館

＊本書に掲載した図版のうち、著作権が存在するものにつき、著作権者についてご存じの方がおられましたら、編集部までご連絡ください。

●著者略歴

石井正己（いしい・まさみ）
一九五八年、東京都生まれ。東京学芸大学教授。一橋大学大学院連携教授。日本文学・日本文化専攻。著書に『図説　遠野物語の世界』『図説　源氏物語』『図説　百人一首』『図説　古事記』『いま、柳田国男を読む』（以上、河出書房新社）、『文豪たちの関東大震災体験記』（小学館）、『遠野物語の誕生』（筑摩書房）、『『遠野物語』を読み解く』（平凡社）など。

ふくろうの本

図説　日本の昔話

二〇〇三年　七　月三〇日初版発行
二〇二三年　四　月三〇日3刷発行

著者……………………石井正己
装幀・デザイン…………ファイアー・ドラゴン
発行者…………………小野寺優
発行……………………河出書房新社
東京都渋谷区千駄ヶ谷二−三二−二
電話　〇三−三四〇四−一二〇一（営業）
〇三−三四〇四−八六一一（編集）
https://www.kawade.co.jp/
印刷……………………大日本印刷株式会社
製本……………………加藤製本株式会社

Printed in Japan
ISBN978-4-309-76032-2